Littérature d'Amérique

Collection dirigée par
Normand de Bellefeuille et
Isabelle Longpré

De la même auteure

On aurait dit juillet, roman, Éditions Québec Amérique, coll. Littérature d'Amérique, 2008.
La Nuit monte, roman, XYZ éditeur, coll. Hiéroglyphe, 2003.
Kilomètres, récits, Éditions Les Intouchables, 1999.

Josée Bilodeau

Incertitudes

nouvelles

QUÉBEC AMÉRIQUE

Tout s'arrête et, pour que le monde redevienne réel, il faut toucher quelque chose. C'est une expérience troublante, l'expérience d'une brèche dans la réalité, d'une ouverture vers un autre monde, et en même temps, d'une menace. C'est aussi une porte, mais une porte dangereuse, la porte des démons.

G. Brisac et A. Desarthe

V.W. : Le mélange des genres

Dans la profession d'écrivain, vous n'accumulez pas d'expérience, mais des incertitudes, qui sont un autre nom de ce métier.

Joseph Brodsky

La télécommande

« L es monstres des placards ont avalé la télécommande », dit Gilles sans sourire, comme
s'il était tout à fait sérieux. J'ai une seconde de
doute. Je ne laisse rien paraître.

Une semaine, et nous sommes encore dans le
barda du déménagement. J'ai l'impression qu'on ne
s'en sortira jamais. Je jette un regard d'acier sur mon
nouvel univers : un amoncellement de petits riens
apportés de nos vies respectives, objets disparates qu'il
faudra disposer de façon à évoquer ce « nous » que
nous sommes devenus si subitement. Malgré l'impression funeste qui s'empare de moi (on ne coule pas des
fondations de ciment à une maison de carton), je reste

stoïque – une reine de marbre sous les tirs ennemis, et les pigeons déclareront forfait. La pluie lave toujours tout. Gilles, lui, se promène au milieu des boîtes ouvertes avec un air de chien battu porteur de promesses de chaos instantané, de fin du monde, de maladie mortelle. Je sens nos âmes prêtes à se pétrifier dès que les choses seront énoncées. *Attention, terrain lézardé, zone de failles.* Mais Gilles ne dit rien d'autre. Il pose, c'est tout, et c'est tout lui. Je commence tranquillement à décoder ses visages. Il en a une belle palette. Celui-ci, cet air indécent de démission assorti d'une démarche de coton que je ne lui connaissais pas, met de la pression sur notre amour tout neuf – amour de paille ou amour de braises, à ce stade, comment savoir?

Étant donné l'inefficacité de mon chum, c'est moi qui me suis tapé le plus gros du travail d'installation, et même l'orchestration des équipes d'amis venus nous prêter main-forte avec gentillesse, en faisant fi de la chaleur étouffante des derniers jours de l'été. L'été de nos bouleversements intimes.

Toute cette agitation est née d'une décision brusque. Si brutale. Coup de tête ou coup de théâtre; il est très fort pour ça, Gilles. C'est même sans doute ce qui m'a séduite, ce contraste entre nous, moi et ma folie de tout maîtriser, de tout prévoir toujours, l'équilibre des repas et le pourboire du camelot... Tout ça. Pourtant, dans ce cas-ci, ça m'effraie carrément. Mais puisque je l'ai encouragé à bouger – et qu'il a enfin quitté sa femme après l'avoir chérie pendant dix ans –, je ne peux plus reculer, malgré mon envie d'être seule, particulièrement aujourd'hui.

Gilles entre d'un pas pesant dans la pièce où je suis (le bureau, malgré son air de débarras), et je me dis qu'il a quelque chose d'un ours, un ours hébété. J'imagine le sourire faussement désolé de maman laissant entendre que Gilles, comme les autres avant lui, est un navrant fainéant. Amère sorcière.

«Sans blague, où as-tu rangé la télécommande?» insiste-t-il, sans même se rendre compte qu'il pose cette question toutes les demi-heures depuis des jours, avec pour seule variante le complément d'objet, et que je n'y ai répondu qu'une seule fois, et encore – «Dans tes fesses» constitue-t-il vraiment une réponse? J'en doute, mais j'avais très envie de le dire, de teinter ma froideur habituelle d'une provocation vulgaire. Gilles s'est alors arrêté, surpris, pour adresser à la part de rustauderie qu'il découvrait chez moi un sourire plein de sous-entendus. Connivence furtive entre déménageurs exténués.

Ces folies sont maintenant choses du passé. Là, j'attends au téléphone qu'un employé de la compagnie de câblodistribution veuille bien répondre, parce que

Gilles, qui a absolument besoin d'un branchement aujourd'hui, n'a pas la patience qu'il faut pour régler ça lui-même. *Incompétence chronique dans le quotidien*, noté-je mentalement dans le petit carnet qui s'est ouvert malgré moi, en prévision du jour des comptes. Qui viendra, fatalement, même si j'ai le cœur brisé rien qu'à l'idée. Dans ce carnet, je garde consignés toutes les fautes et les travers de mes amours, actuels ou anciens, je ne fais pas trop de distinctions à ce propos. Ils restent tous dans mon cercle à attendre les miettes que je distribue, parcimonieusement mais équitablement. On me trouve exigeante ; soit, l'amour d'une reine coûte cher. L'important, c'est d'être aussi exigeant envers soi – merci maman pour la leçon de vie –, et je n'en démordrai pas. Dans le cas présent, je laisse un temps d'adaptation à l'animal qui, en sueur, promène sa torpeur d'une pièce à l'autre en gémissant. Du moins, il me semble que c'est ce qu'on entendrait en augmentant le son d'un chouïa. Encore faudrait-il, effectivement, trouver la télécommande dans le bordel environnant.

Gilles, les mains toujours vides, repasse devant moi. On dirait que son moral a enfilé un survêtement fané et informe, déprimant mais tellement confortable qu'il ne s'en défera pas si facilement. Beige, j'ai un chum beige. L'idée m'effleure qu'il pourrait déteindre encore plus.

Le combiné encore vissé à l'oreille, je lui fais de gros yeux, et il s'empresse de changer de pièce. Le poltron. Je vis toujours avec un vif déplaisir le dévoilement du chaton qui sommeille dans le cœur du lion. Ça vous regarde un peu trop longtemps et ça dégouline de bons sentiments, du miel plein les yeux. Dis-moi, Amour, où sont passés les hommes capables de porter autre chose que de beaux principes et de grands idéaux, d'entrer dans le concret des gestes sans cette douceur collante et le besoin constant d'approbation. Sur cette édifiante question que je lui adresse en silence, un déclic, enfin, dans l'appareil. Pragmatique, me voilà prête à expliquer l'essentiel, l'urgent, à brandir au besoin l'ultimatum. Mais personne ne prend l'appel. À l'autre bout du fil, j'entends un succès-souvenir ; les années quatre-vingt défilent en vrac dans ma tête. Je m'accroche pour ne pas céder au découragement qui rôde ici, entre les boîtes ouvertes et le chat boiteux. Une pitié, ce chat, remarque chaque fois ma mère, qui n'a jamais eu peur de se répéter.

Il n'y a que Gilles pour s'attacher comme ça aux chiens galeux et autres félins éclopés. Ce chat, je crois que nous le gardons parce qu'il est à l'origine de notre rencontre, mais il y a des jours où le bon sens de nos décisions m'échappe. Ma vie filait bien, droit devant, et tout à coup il y a eu Gilles, debout sur le seuil de ma porte, minou boiteux dans les bras. La rue était encore blanche du dernier sursaut de l'hiver. Il m'a demandé si la bête m'appartenait avec un sourire si grand que tout mon avenir s'y est brusquement engouffré. Se sont alors levés en moi des vents contraires encore capables, parfois, de me faire perdre pied.

Voilà le risque avec la mémoire, elle enrobe nos moments de faiblesse d'une indulgence ouatée.

Gilles, prudent, jette un œil par la porte entrebâillée. prudent. Je lui adresse un sourire tiède, c'est le mieux que je peux faire pour l'instant. Ça n'en prend pas plus pour le ragaillardir, et il se lance dans un papotage étourdissant au sujet de son horrible toile mexicaine. Eh merde ! Cette toile est mon ennemie. Achetée avec son ex au cours d'une escapade amoureuse, elle témoigne de leur passion commune pour les voyages, de leur attachement, et de leur mauvais goût. J'avais promis qu'on l'accrocherait quelque part au salon parce qu'il avait insisté avec cette étincelle dans les yeux que j'aime tant. Cette toile, à cet instant, est tout ce que je déteste. Nos regards se croisent, s'emmêlent une seconde de trop, et ça brûle. Une écorchure. Je voudrais qu'il parte, mais rien qu'un peu. Je voudrais le ranger dans un placard un jour ou deux, qu'il m'attende le temps que les choses se décantent, qu'il me laisse placer tout ça à mon aise, à ma manière, qu'il cesse d'être si inutilement là à traîner et qu'il arrête de parler, il m'étourdit ! Je me ferme, une huître, et il repart, tout penaud, laissant quand même la toile à côté du téléphone en marmonnant quelque inintelligible conclusion. Il faut toujours qu'il ait le dernier mot, je l'ai déjà noté plusieurs fois dans mon carnet.

La chanson s'achève dans le combiné. Gilles met un disque. La voix de Rufus Wainwright s'élève en même temps dans le téléphone et dans le salon. Mon cœur se serre étrangement, un froissement discret mais douloureux, sa membrane humide devenue papier de soie. Ça reste là, poignant. Rufus qui braille *Over the Rainbow* égratigne la vitre, je cherche à nouveau la télécommande pour le faire taire, mais je n'arrive pas à la trouver. J'ai envie de pleurer, une envie toute bête qui me ressemble si peu. Je tente de me ressaisir, je me répète *maintenant! maintenant!* en espérant que l'invective fera son effet. Je respire profondément. Entre les larmes traîtresses débordant de mes cils, j'aperçois enfin la manette magique dans la boîte «ustensiles de cuisine» – qu'est-ce qu'elle fout là? Je m'en saisis et, d'un geste décidé, j'impose ma volonté à l'admirable dandy, qui s'éteint dans le salon.

À l'autre bout du fil s'élève un concert d'applaudissements chaleureux, de sifflements, un délire d'admiration, puis le silence, resplendissant bonheur. Au moment où un message enregistré prend le relais, Gilles, enfin vif, surgit dans la pièce comme s'il s'était réveillé d'un coup. «Pour un changement d'adresse, faites le 1…»

— Tu l'as trouvée?

«… un problème technique, faites…»

— Elle était où?

«… rendez-vous avec l'installateur, composez le 514…» Je note rapidement le numéro sur le premier papier qui me tombe sous la main – la toile. Je raccroche, regarde le coin de la toile noircie, gribouillis sur gribouillis. Je regarde Gilles et hausse les épaules, ma superbe me plaçant à ce moment précis bien au-dessus d'une scène conjugale. «Tant pis, tu n'avais qu'à régler ça toi-même», dis-je posément pour mettre ça derrière nous le plus rapidement possible. *On n'aura qu'à la mettre au fond d'un placard,* me glisse à l'oreille mon mauvais génie. J'exulte, mais rien qu'une minute. C'était si spontané.

Gilles, les yeux exorbités, n'en revient visiblement pas. «Je n'avais qu'à quoi? Tant pis?» Les mots ne sonnent pas très fort, mais son visage impressionne, faciès hurleur révélé au grand jour. Jamais je n'ai admiré à ce point la tombée des masques. Alors que devant moi se dresse Gilles, lion rugissant entre colère et indignation, je reste là, complètement fascinée.

Notre première dispute? C'est bien ça? Pour cette toile minable? Mes idées déboulent les unes sur les autres, et je n'entends presque plus son sermon. La télécommande à la main, j'appuie nerveusement sur le contrôle du son, et avant que je m'en aperçoive, voilà ses arguments réduits au murmure, puis très vite, c'est la pantomime, un poisson beuglant des bulles de salive, blurp! blurp!

J'ai envie de rire, bêtement. Ça le met hors de lui. Mon assurance vacille. Je n'en montre rien. À court d'arguments, il se jette sur moi, mains devant, comme prêtes à enserrer mon cou. C'est là que je le fais. J'appuie sur «pause», très fort. L'ongle de mon pouce en devient blanc. Tout s'arrête.

Je ne peux pas m'empêcher de faire ça. De tout stopper chaque fois que la réalité m'échappe. Mais ça ne m'avance à rien, le temps suspendu déclenche en moi une tempête qui gagne en force à mesure que les minutes s'égrènent dans cette autre dimension. C'est comme le tic-tac assourdissant d'une bombe, le roulement qui précède le fort de l'orage. Je regarde le coin de la toile barbouillé, me mords la lèvre jusqu'au sang. Qu'est-ce que je fais maintenant? Qu'est-ce que je fais?

J'avance un orteil vers le couloir. Gilles reste là, figé dans une pose incongrue, le doigt arrêté au milieu d'un mouvement de dispute qui lui donne un air franchement niais. Si au moins il arrivait à m'attendrir. S'il avait compris qu'on ne me tient pas tête, jamais.

Je contourne mon amour, évite de l'effleurer au passage, de peur qu'il ne s'effrite davantage, les miettes s'accumulant à mes pieds en un pitoyable petit tas de déceptions.

Dans ce silence étourdissant, le cœur en apnée, je nage en eaux troubles. Le chat me regarde d'un œil morne. Bizarrement, il ne reste de vie ici que lui et moi. Deux boiteux. Si ma mère nous voyait. Me prendre en défaut, un petit plaisir que je m'efforce de toujours lui refuser, la plupart du temps en vain. Et pourtant. Moi aussi, quand je cherche la faille, je la trouve.

Devant le miroir de l'entrée, je ne me reconnais plus. J'ai l'air d'une enfant coupable. Je dois me ressaisir, regagner mon assurance. Je veux respirer le grand air, trouver quelque part hors d'ici un îlot d'ordre et de beauté.

Quand j'ouvre la porte, l'univers que j'embrasse du regard est irréel. J'écoute. Rien. Pas un oiseau, pas une radio. *Toutes ces brèches dans le réel. Si les gens savaient.* Un chat paresse à l'ombre d'un arbuste, roule sur lui-même comme le font les chats et me lance un miaulement aigu, fraternel. Dans cette dimension, je suis une sorcière. C'est clair.

Forte de cette conviction, je respire profondément, redresse les épaules, la tête. Superbe équilibriste sous la lumière franche de cette fin d'été, j'avance sur l'arête du temps. Quelque part claque un rideau suspendu à une fenêtre ouverte, et s'envolent mes faiblesses dans l'air chaud de l'été. J'en ai marre de ce déménagement qui n'en finit plus. J'en ai marre, mais je tiendrai le coup, du moins encore un peu, comme avec les autres. Il me faut donner une chance à mes choix. Refaire l'inventaire des détails qui font que c'est lui et pas un autre. M'y accrocher encore quelque temps, curieuse mais critique. Ne pas faillir au premier décalage. Ne pas regarder Gilles avec les yeux de ma mère.

Nez au vent, j'offre mes paupières aux picotements des rayons du soleil avant de poser à nouveau sur le monde un regard d'acier, fier héritage d'une lignée de femmes capables de dire les plus cruelles vérités sans sourciller. Des années à l'exercer devant le miroir, à le tester sur les garçons, puis sur les hommes. Il est de retour, alors moi aussi.

Comme chaque fois, rien que de me sentir prête remet tout en marche. C'est comme un vertige, une absence, un rêve de quelques secondes. Je reviens au moment où Gilles, à deux pas de moi, la posture menaçante, s'apprête à agiter un doigt grondeur sous mon nez, invectivant, me postillonnant sa perte de maîtrise au visage. Je lui souris avec mépris – des années, aussi, pour réussir ce sourire – et tourne les talons, altière. Désamorcer la bombe en en faisant éclater une autre, celle de ma froideur. Gilles suivra le mouvement, je l'ai choisi pour ça.

Spectres

Je laisse glisser mes doigts sur le mur nu où se découpe encore la forme des tableaux, spectres blancs sur fond jauni. Si je ferme les yeux, mes doigts seuls ne détectent plus les espaces vides, mais la mémoire prend le relais. Je reconstruis la pièce exactement telle qu'elle était, décorée avec élégance et sobriété, à l'image de l'ancien occupant des lieux. Des monochromies de Fernand Leduc, une minuscule toile de Marcelle Ferron et, à côté des deux Borduas, un dessin de Jackson Pollock.

De lui, je ne garde aucune image entière. Un reflet sur le verre des lunettes aux branches dorées, le regard brillant, la grâce d'un geste de la main, des ongles soignés.

De son visage, rien, sauf le sillon profond reliant son nez à sa lèvre supérieure. Une impression de force tranquille, un front haut, dégarni, et des rides, beaucoup de rides, qui refusent pourtant de prendre place dans le portrait que je tente de reconstituer. Je les pose, mais elles glissent comme les montres de Dali, pour s'évaporer dès qu'elles touchent les chaussures, impeccablement vernies. Mon souvenir s'accroche à une jeunesse que je n'ai pas connue.

Quelque temps après sa disparition brutale, j'ai reçu à la maison une boîte de photographies prises à différentes époques de sa vie. Ses enfants avaient entendu parler de nos rencontres dans ce salon où il recevait les visiteurs officiels, et ils souhaitaient que je poursuive mon travail d'écriture sur lui, sur son œuvre en quelque sorte. Lui-même avait bien peint quelques toiles, mais rien d'éclatant. En revanche, il avait connu tant de gens, soutenu tant d'artistes ; c'était sa façon à lui de contribuer à la marche du monde, à son entrée fulgurante dans la modernité.

J'ai trouvé dans la boîte une photo de lui et moi, debout dans ce salon, nos spectres irradiants d'une passion commune dans les rayons obliques d'un soleil de fin d'après-midi. Nous ne posions pas, n'avions même pas conscience de la présence de l'appareil, absorbés que nous étions par son récit. Il a toujours su me fasciner.

Il n'était pas facile, pourtant, et m'a quelquefois fait monter les larmes aux yeux. Une remarque blessante, un ton cassant, me jetant mes maladresses au visage au détour d'une question mal posée, d'un raisonnement hâtif. Il tolérait mal le travail bâclé. Les bons jours cependant – il y en a eu, jusqu'à la fin –, il savait être généreux, brillant. Je comprenais toutes ces femmes qui l'avaient aimé. C'était plus que de la séduction. Il avait du magnétisme.

Debout au centre de la pièce, plus bouleversée que je ne l'aurais cru de me trouver là, j'ouvre mon sac, en tire l'article de journal relatant sa vie et sa mort paru en catastrophe au lendemain de la découverte de son corps dans la rivière, derrière la maison. Il s'était suicidé ; c'est ce que laissait entendre le journaliste sans jamais le dire pour de bon. Il fallait lire entre les lignes pour saisir l'information avant qu'elle ne soit totalement occultée par les livres d'histoire. Par ce livre que je continuerai d'écrire, malgré tout.

Je lève la page du journal devant la fenêtre pour mieux voir la photographie au centre. On le voit, à peine quelques semaines plus tôt, sourire à l'appareil photo comme si sa vie n'était qu'une suite de succès sans fin. À l'arrière-plan, légèrement à sa gauche, une toile que je n'ai jamais vue ici. Je replace l'angle de la photo, observe la pièce et le journal en superposition. C'est là qu'il se tenait, dans le déclin du jour. Juste à côté de l'endroit où, sur le mur, on repère encore le pâle contour du tableau disparu, comme s'il avait été là depuis toujours, comme les autres que je connaissais par cœur.

Je reviens encore une fois à la photo du journal, regarde la petite toile me narguer à l'arrière-plan, seul portrait dans cette galerie. Je suis troublée d'y reconnaître mon visage, avec trente ans de plus, ces trente années qui nous séparaient pourtant si peu.

Lorsqu'une porte se ferme, ouvrez-en une autre

— BISCUIT CHINOIS

L'ennui, c'est que je ne suis pas certaine de ce qu'il m'a dit à l'oreille à ce moment-là, dans le noir de la salle de cinéma, en plein milieu d'une scène tellement triste que je pleurais à torrents en silence. J'avais la sensibilité à fleur de peau depuis que Gilles m'avait quittée pour une autre, emportant avec lui projets et famille, et la si jolie petite toile ramenée du Mexique l'année précédente, et que je regardais toujours de longues minutes au sortir du sommeil. Il m'apaisait, ce gribouillis coloré dont je parcourais minutieusement du regard chaque courbe, chaque ligne avant de consentir à me lever. Nous l'avions accrochée au mur, de mon côté du lit, sans cadre ni vitre parce que nous avions ce genre de négligence dans la préservation des choses, comme de l'amour sans doute, puisque nous en étions rendus là, lui à s'installer avec une autre, moi orpheline d'amour et d'une petite image mexicaine intitulée *La Travesía,* comme une énigme. Bien sûr, j'aurais pu lui dire que je tenais à ce souvenir, mais cela me paraissait de l'ordre de l'aveu, ce qui m'était insupportable. J'avais décidé de me fermer comme une huître au sujet de cette peine d'amour.

Voilà sans doute pourquoi les moments tristes des films m'atteignaient en plein cœur, pourquoi aussi je m'étais mise à en consommer de façon boulimique, évitant soigneusement comédies et films d'action et préférant les heures mortes des jours de semaine pour ne pas affronter la foule des familles et des couples.

Comme d'habitude, je m'étais assise toute seule au milieu d'une rangée, et je croyais toujours l'être quand j'ai senti un souffle dans mes cheveux. L'homme s'était avancé furtivement derrière moi (sournoisement), et j'ai sursauté tandis qu'il murmurait quelque chose comme « *percosilement* ». Puis, sans doute à cause de mon haut-le-corps, il a posé une main sur mon épaule en guise d'apaisement : « Doucement, doucement. » Ça, je l'ai bien entendu, mais n'ayant pas compris ce qu'il avait dit en premier, je ne savais pas s'il fallait que je me montre offusquée. J'étais embêtée. Un homme qui aborde une femme de façon aussi serrée (sournoise) peut très bien lui avoir dit des insanités. Je détestais cette situation, d'autant plus qu'en me retournant courageusement pour lui faire face, les joues encore barbouillées de larmes, j'ai vu qu'il était beau comme un dieu. Comment rabroue-t-on un dieu qui a *peut-être* dit des insanités? Je ne savais pas quoi faire. J'attendais vaguement un geste qui m'aurait révélé ses intentions, un mot de plus qui aurait éclairé le sens de «*percosilement*», mais rien ne transparaissait sur son visage de bois lisse et viril comme le totem haïda abandonné au fond du débarras, à la maison, souvenir cette fois de notre voyage dans l'Ouest canadien qui me semblait si loin dans notre histoire d'amour. Ç'avait été un premier voyage magnifique arrosé de quatorze jours de pluie continue. Nous avions célébré notre amour naissant le plus souvent possible et un peu n'importe où, même en appui sur des arbres millénaires. De vrais lapins.

Penser à ce totem au fond du placard m'a crevé instantanément le cœur. Pourquoi Gilles ne l'avait-il pas pris? La question a grandi, est devenue peu à peu une obsession, une de plus. Est-ce qu'il l'avait pris? Peut-être que oui, il y avait déjà longtemps que je n'avais pas fait le fond des placards. Les larmes se sont remises à couler toutes seules sur mes joues; trop de larmes qui allaient s'écraser l'une après l'autre sur mon chemisier bleu pâle en dessinant des formes sombres sur ma poitrine. Je me suis alors mise à remarquer ma poitrine, si généreusement mise en valeur par mon chagrin, d'autant plus offerte qu'elle était maintenant au centre de mes pensées. Transfert d'obsession. Je crois bien que j'ai rougi. Je rougis si facilement.

Tout ce temps, le dieu-totem n'avait pas bronché. Sa main était toujours posée sur mon épaule. J'aurais dû me dégager, là, tout de suite, et m'enfuir à toutes jambes là où la vie battait son plein dans le soleil crève-cœur de cet après-midi d'automne. J'aurais dû, mais je ne l'ai pas fait. Les peines d'amour ont ce pouvoir inattendu de décupler notre curiosité, et puisqu'elles exacerbent aussi la foi dans le destin, la mienne en tout cas, ça me rassurait de savoir que *j'avais* à vivre ça, qu'il s'agissait d'une sorte de rite de passage, et que la main de plus en plus lourde de cet homme irréel sur mon épaule ne pesait finalement que du poids de la fatalité.

Que sait-on, au fond, de la vraie nature des choix qui s'offrent à nous continuellement?

Lentement, tellement que j'ai cru que quelqu'un avait actionné le ralenti, l'homme a fendu son masque de bois d'un sourire – lumière divine dans la salle que ce sourire de fin de générique –, et mon cœur a commencé à battre si fort qu'on devait l'entendre jusque dans la première rangée. «*Percosilement*», ai-je prononcé du bout des lèvres, si bas que ma voix s'est perdue dans le vacarme de mon cœur affolé. Il me semble que ce mot d'un dialecte inconnu était la clé pour communiquer avec les dieux, de chair ou de bois, quels qu'ils soient. Je n'avais pas ressenti un tel désordre cardiaque depuis longtemps, depuis le jour, je crois, où mon petit voisin gorgé d'hormones m'avait entraînée dans le wagon de tête du Monstre de La Ronde pour m'embrasser sauvagement, avec la langue et tout. L'affolement érotique que j'avais ressenti, conjugué à l'effet des montagnes russes, avait alors décidé de mon destin amoureux : j'allais rechercher l'amour extrême, celui qui fait mal, rien que de l'extase et du danger. Cette promesse que j'avais oubliée, enterrée sous des années de vie conjugale plutôt routinière, revenait courir dans mes veines comme un gage de fidélité à moi-même. « Fonce, murmurait une petite voix intérieure, mais fonce donc ! »

Alors, comme je gardais les yeux fichés dans ceux, impénétrables, du dieu-sourire, mon cœur s'est remis à gravir les montagnes russes de mon premier baiser, créant un désordre impossible dans ma tête survoltée. J'ai senti venir les courts-circuits. Je me suis revue, des années plus tard, si emballée par la découverte du manège au parc Gorki : « Prends une photo, prends une photo ! » Et Gilles qui riait de mon emballement devant des « montagnes russes, russes ! » tandis que l'indé-crottable touriste en moi prenait la pose, chapka enfoncée sur le front pour parer aux vents puissants d'un novembre moscovite. Plus tard, Alexis nous avait appris qu'en Russie, on disait «des montagnes américaines». Gilles avait bien sûr raconté l'anecdote à tout le monde, photo à l'appui ; il l'avait dite et redite jusqu'à ce que mon enthousiasme devienne une caricature ridicule. Il avait le chic pour tempérer mes élans, pour me faire sentir déphasée par rapport à une réalité qu'il savait toujours maîtriser parfaitement, lui.

En pensant à tout cela, mon cœur a ralenti d'un cran sa course folle, le rose a quitté mes joues, le sang s'est subitement replié vers mes membres inférieurs. Je me sentais démunie, les idées flageolantes. J'aurais volontiers avalé une vodka – cul sec aux dieux errants des cinémas de ce monde –, mais ce n'était pas le moment, puisque celui qui était justement devant moi allait parler. «C'est comme tu veux», a-t-il dit simplement. J'étais bien avancée, ne sachant pas ce que mon «*percosilement*» pouvait bien lui avoir dit. En revanche, il me tutoyait, ce qui laissait penser que nous avions entrepris une sorte de relation. Sa main a quitté mon épaule, et je me suis sentie orpheline. Pour le dire franchement, je n'avais aucune idée de ce que je voulais. J'avais froid. En fait, j'aurais bien aimé que quelqu'un décide à ma place, comme avant, quand les décisions infimes du quotidien étaient partagées, le menu du souper ou la chaîne télé qu'on allait regarder. Une vague de nostalgie de l'amour doudou m'a submergée. Je ne voulais plus être téméraire, je voulais rentrer chez moi, mais ma maison c'était nous, et elle s'était abîmée au cours de la dernière tempête. Mes larmes se sont remises à couler parce que j'avais l'âme à l'apitoiement. Ça a duré comme ça quelques minutes, pendant lesquelles j'ai goûté à la griserie de savoir que mon chagrin existait dans les yeux d'un inconnu, miroir embellissant dans lequel je me regardais, émue par ma propre peine.

Je me suis ensuite levée en titubant, grise d'avoir trop pleuré. La salle était vide depuis longtemps. À part les magnifiques hommes-totems et les jeunes filles sous l'emprise de leur charme, personne ne reste plus pour les génériques. Ça lui a donné le signal qu'il attendait, je suppose, puisqu'il s'est levé aussi, la main prête à attraper mon bras au moindre signe de défaillance. J'ai fermé les yeux en souhaitant qu'il me touche à nouveau, que sa main me guide. Il n'a rien fait. Je l'ai regardé encore, lui, droit, solide. Malgré la splendeur de mon chagrin, je devais avoir l'air d'une gargouille devant sa luminosité céleste. *Gargouilles de Notre-Dame, de Saint-Urbain de Troyes, de Clermont, gargouilles d'Égypte, des temples grecs, de Pompéi…* Des noms se sont mis à défiler dans ma tête en une comptine impossible à stopper. J'avais perdu le contrôle de mes voix intérieures, qui foutaient maintenant un vrai bordel dans mes pensées. «Fonce, gargouille de cinéma, fonce donc!» J'étais pétrifiée.

Au bout de la rangée, comme je ne faisais rien, mon seigneur est passé devant moi, s'assurant d'un signe de tête qui a fait bouger ses formidables boucles brunes que je ne comptais pas m'enfuir en courant dans l'autre direction. Je n'y avais même pas pensé. Tout ce que je voulais, à cet instant, c'était plonger mes doigts au fond de sa chevelure sacrée, y fourrager jusqu'à ce qu'il ronronne comme un chaton repu.

Là-dessus, histoire d'éviter d'autres ravages à mon visage bouffi, je me suis interdit de penser à Gilles, à sa passion pour les chats. Je me suis plutôt concentrée sur ce dieu qui marchait devant moi et qui devait assurément être celui de la perspicacité, puisqu'il m'a devancée aussi sur les chemins de traverse où mon esprit allait à nouveau s'égarer.

Il m'a tendu la main. Je l'ai prise. Me suis ruée sur elle. Un chien sur un os à moelle. Aucune retenue, aucune dignité. Il m'a fait face au milieu de l'allée. Sa paume était étonnamment tiède, de l'herbe en été, la peau de ses doigts, un cuir fumé. Il a posé son autre main sur ma joue qui est devenue brûlante, et c'est moi qui me suis mise à ronronner.

Je suis trop sensible à la beauté des hommes, à la puissance d'une main, au désir qui point dans leurs yeux. Lui, il possédait tout, et je n'attendais plus que ce dernier signe pour fondre dans ses bras, mais comme cet homme était plus bois que chair, plus sève que sang, je ne savais pas lire dans son regard totémique. J'ai donc attendu, le cœur aux aguets.

Il a repris sa marche, mes doigts noués aux siens, règne végétal de mes membres-racines qui n'avaient plus d'autres raisons d'exister que cette large paume, et je me suis encore une fois demandé ce que j'aurais bien pu vouloir, c'est-à-dire vouloir de plus que cette étrange avancée vers mon destin. «C'est comme tu veux, gargouille de totem», me narguait la petite voix. C'était une bien vertigineuse permission que cet homme m'avait donnée là.

Près de la sortie, nous nous sommes arrêtés, et je n'aurais pu dire qui de nous deux l'avait fait en premier. Stop, la même seconde, comme si nous étions tout à coup frappés de synchronisme, nos doigts détenteurs des desseins secrets de nos âmes et se les répétant en silence dans leur étrange communion. J'ai levé les yeux vers lui avec une humilité que je ne me connaissais pas, des *Ave Maria* plein le cœur, de l'hélium dans la poitrine. Il avait une curieuse attitude, le regard fixe et lointain. En fait, il semblait attendre quelque chose. J'ai dit «Quoi?» et il a baissé la tête, comme si les dieux pouvaient se montrer incertains. Ou vaniteux, me suis-je dit, et ça m'apparut tout à coup comme une évidence, on ne demande pas à un dieu comment se présente la suite du monde. On attend qu'elle se pointe, c'est tout. Ça s'appelle la foi.

J'ai regardé autour, l'endroit était désert et silencieux ; à croire qu'aucun humain n'y avait mis les pieds depuis des lustres. Ça sentait vaguement la résine, la gomme de pin, alors que ç'aurait dû sentir le maïs soufflé et le beurre chaud. À côté de nous, il y avait une porte que je n'avais jamais remarquée dans ce cinéma, une petite porte avec un écriteau « accès interdit ». C'était de toute évidence un débarras de concierge, rien pour éveiller la curiosité, n'eût été sa brusque apparition dans un décor qui manquait cruellement d'abris pour les amours clandestines. À cette idée, j'ai rougi, encore. Je savais bien que mes pensées allaient beaucoup plus loin que n'irait jamais mon courage, mais il a souri de nouveau, Merveille des merveilles, alors j'ai poussé la porte défendue devant nous. Le règne de Barbe-Bleue n'était peut-être pas tout à fait révolu, après tout.

À l'intérieur, il faisait noir, une tombe. Nous étions à l'étroit au milieu d'un véritable bric-à-brac. Il me semblait que j'aimais déjà mon destin jusqu'aux larmes, et même jusqu'au sang. Je me suis mordu la lèvre pour ne pas pleurer. Je devais faire un geste, je le savais, je devais être brave, prête à tout. Un baiser suffirait. Ma main est partie à la recherche de sa joue, du contact de sa peau. Mon corps en avant, attendant la rencontre du sien. J'entendais de nouveau mon cœur battre effrontément.

En fermant les yeux, puisque de toute façon je ne voyais rien, je me suis répété *c'est comme je veux.* Puis j'ai laissé à mes doigts voyageurs le délire des grandes explorations. J'ai touché son âme en même temps que sa peau, et il m'est venu au cœur une odeur de sous-bois humide, la même qui se dégageait des appeaux de mélèze que je mettais à tremper les jours de grand ménage, tressés il y a plus de vingt ans par les doigts noueux d'un vieux Cri rencontré au sud du Nord, avant ma traversée vers la grande ville. J'ai alors pensé à *La Travesía,* avec ses courbes et ses lignes, reprenant parfaitement le dessin des routes et des grands lacs de mon pays d'hiver. Voilà pourquoi j'aime cette toile, ai-je pensé encore, avant de poser un doigt sur ses lèvres d'écorce, qu'il a entrouvertes sans qu'aucun souffle ne les traverse. J'ai calé ma paume sur sa joue dans une fourrure étrange que je n'avais pas remarquée dans la salle, mais puisque l'heure était aux petits miracles, j'ai béni le ciel, la Terre, le fleuve et tous ses affluents, la source chaude entre mes cuisses. Je venais d'entreprendre le plus incroyable voyage de mon exis-tence, et c'était une certitude si solidement fichée dans mon cœur que je n'ai plus pensé à Gilles, j'ai oublié jusqu'à sa peau, son rire, ses colères des grands jours et ses élans amoureux. Je ne savais plus rien de nous deux, et ça me rendait étrangement légère, comme si de moi aussi tout allait s'effacer à l'instant où nos corps se rencontreraient. Mais cela n'est pas arrivé. Il n'est rien arrivé d'autre, en fait. Devant moi, je n'ai rencontré que du vent, et le mur. Au creux de ma paume, à l'endroit où s'était trouvée sa joue, je tenais les fils épais d'une vadrouille. C'est lui qui s'était évaporé, disparu pour de bon. «Gargouille de cagibi», s'est moquée la petite voix, une dernière fois.

Le temps que je reprenne mes esprits, que j'endigue le flot des larmes qui avaient repris le chemin de mon chemisier, offrant ma poitrine au regard de personne, d'une vadrouille, j'ai décidé de sortir de là, de m'enfuir enfin dans le soleil crève-cœur de cet après-midi d'automne. J'ai poussé la porte de toutes mes forces, mais elle s'était verrouillée derrière nous, derrière moi, puisqu'il n'y avait là que moi, et comme j'étais une jeune femme impressionnable (j'en avais fait la preuve), j'ai tenté de trouver la formule secrète pour que cette porte m'obéisse, un «Sésame, ouvre-toi» de cinéma d'après-midi.

«*Percosilement…*», ai-je imploré d'une petite voix, au bord de l'affolement; une enfant perdue dans un grand magasin. Il me semble que ce mot d'un dialecte inconnu était la seule formule pouvant ouvrir les portes fermées par les dieux, de chair ou de bois, quels qu'ils soient. Mais la formule n'a pas fonctionné. Ou peut-être que ce n'était pas la bonne. L'ennui, c'est que je n'étais pas certaine de ce qu'il m'avait dit à l'oreille à ce moment-là, dans le noir de la salle de cinéma. Je me suis remise à pleurer à torrents en silence. De l'autre côté de la porte, il m'a semblé reconnaître une odeur de beurre chaud, et de maïs soufflé.

La Guadalupe

Nous avons traversé le marché public sans nous adresser la parole, traînant nos pas dans l'air chaud saturé d'odeurs de nourriture, de galettes de maïs, de beurre brûlé. *No gracias. No gracias...* Je répondais mollement aux sollicitations des marchands pendant que toi, tu te taisais. Tu faisais la gueule. Au milieu d'une formidable foule bigarrée riche de tous ces menus gestes encore inconnus de nous, codes étrangers offerts dans leurs plus vivantes expressions, *tu faisais la gueule,* me détournant à mon tour de ces images pour me ramener à nous. À ce qu'il en reste, ai-je pensé cette fois.

Notre premier voyage arrivait à son terme ; notre amour aussi, me semblait-il. L'évidence m'était apparue ce matin-là, dans la lumière étrange du petit jour filtrant à travers le smog de la vallée. Au début, je m'étais dit que nous n'étions pas faits pour voyager ensemble. Ça arrive. Mais dans ce marché, avec ta gueule, ton air fermé, je t'ai trouvé laid. Et je t'ai détesté. C'était comme avoir une pastille coincée au milieu de la gorge, j'avais beau déglutir, ça ne passait pas.

Autour de nous, la foule s'éclaircissait. L'heure de la sieste, sans doute. Je n'arrivais pas à me rappeler ce que le guide disait à ce sujet. Certains marchands semblaient fermer boutique, les autres se faisaient moins insistants. Les deux « tabarnacos » pouvaient souffler un peu et se concentrer sur le volcan menaçant leur grand amour. Le mien, mon volcan, commençait à gronder. Sa lave formait de petits bouillons dans mes veines, picotements intimes étrangement toniques. *On the top of a volcano, a very high sensation…* Tu t'es mis à fredonner cette chanson des années quatre-vingt totalement tombée dans l'oubli, comme si tout à coup tes pensées étaient en accord parfait avec les miennes, mais quand je me suis retournée pour te regarder, tu t'es souvenu que tu faisais la gueule, alors je n'ai plus rien entendu de toi pendant un long moment. Un torrent souterrain grondait sous nos pas, je le sentais bien.

¿Le digo la suerte? Surgie devant moi par je ne sais quelle magie, une femme se tenait à quelques centimètres à peine de mon nez. *¿Le tiro las cartas?* Elle avait une tête de cinéma grotesque, fellinienne, avec un sourire trop large pour son visage, des cheveux sales et la peau très sèche, un peu craquelée aux commissures des lèvres, aux ailes du nez. Elle sentait le beurre rance. Elle a pris ma main de force et, contrant nerveusement mon mouvement de recul, l'a ouverte en me faisant un peu mal, brutale, autoritaire. Du fer sous son sourire de carnaval. *Echadora de cartas.* Une gitane.

Tu es resté debout sans rien faire, comme à côté de la scène. Mais je sentais bien ton trouble. J'avais à cet instant une conscience aiguë de la paralysie qui s'était emparée de toi. Je me suis dégagée autant pour te fuir que pour fuir la gitane, et j'ai couru sur quelques mètres *aussi vite qu'une âme que le diable emporte*. Je ne sais pas d'où m'est venue cette image qui m'a fait tressaillir. Le temps de ravaler les larmes qui avaient débordé sur mon visage bronzé, tu m'avais rejointe. Mais rien n'y paraissait déjà plus, ni de ton trouble ni de mes larmes. Nous avons repris notre avancée en silence, ton coude effleurant mon bras au hasard de la marche. Chaque fois un léger frisson sur ma peau, sans savoir de quel émoi il était fait. Je ne croyais plus en toi, en nous. *Alors quoi?*

Devant le petit bar, tu as décidé de t'asseoir et d'observer par la lorgnette d'un verre de tequila la grande fourmilière mexicaine. Nous nous sommes vaguement donné rendez-vous à l'hôtel à une heure indéterminée, chiffres mous marmonnés sous nos masques de querelle. Ta gueule. Ma moue. Presque un dédain. *La vida es un carnaval,* disait une chanson qu'on entendait partout jusqu'à l'écœurement, *no hay que llorar...* Oui, je sais. Mais j'avais quand même envie de pleurer.

Je me suis ressaisie, j'ai ravalé l'angoisse qui avait commencé à poindre devant la gitane, en ai fait une petite boule noire compacte qui s'est tapie comme un crabe au fond de mon ventre, lourde mais obéissante. J'ai progressé au milieu des stands et étalages. Je voulais sentir se déployer en moi les couleurs et les sons étrangers, les visages souriants, plonger mon regard dans tous les yeux noirs que je croiserais dans ma lente traversée du marché. Remonter jusqu'au bout, tout voir, tout sentir, tout goûter.

Je me suis enfoncée toujours plus avant dans l'allée. Elle semblait s'étendre jusqu'à l'infini sans qu'un seul des motifs de sa tapisserie de visages, de babioles et de délices se répète. J'avançais en souriant, gage de ma sincérité, de mon intérêt, comme s'il ne s'agissait pas d'une relation marchande, de pesos, de dollars. Tous ces gens. Leur expression amusée devant moi, leur patience quand je tentais de marchander un peu, en espagnol, parce qu'on m'avait dit de faire comme ça. Pour l'exotisme. Et puis mes maladresses, la grimace de mon sourire. Celle qui détonne, triste touriste. Où étaient donc les autres? Spontanément, je me suis retournée. J'ai vu, de loin, un coin du parasol sous lequel je t'avais laissé. Sur le coup, ça m'a rassurée. Puis ça m'a agacée. Toujours toi, toujours.

Pour te mettre enfin hors de vue, du moins le parasol qui te représentait désormais, j'ai bifurqué; pour me perdre dans le dédale des allées. À l'orée d'une zone dédiée à la Madone, je me suis arrêtée. «Avenue Reforma», indiquait la plaque de nom de rue. Là s'alignaient peintres à l'œuvre et œuvres de peintres morts, marchands exhibant des chefs-d'œuvre retrouvés miraculeusement dans le fourbi de vieux hangars et qu'on me proposait pour une bouchée de pain. Des noms glanés au hasard: Alconedo, Cabrera, Velasco Gómez, évidemment des faux mais d'une saisissante beauté, le miracle de la Guadalupe célébré ici jusqu'au vertige. J'avais honte qu'on me bonimente avec si peu de scrupules, mais je continuais de sourire, un peu bêtement.

Des gouttes de sueur glissaient entre mes seins, sous le tissu léger de mon chemisier. Ma peau moite sentait le sucre, une odeur proche du maïs, mêlée à ce quelque chose que tu cherchais toujours à définir –

« c'est marin », affirmais-tu, le museau planté dans mon cou.

J'ai levé les yeux sur l'infini de l'avenue Reforma : la Vierge à la peau brune s'y démultipliait comme dans un palais des miroirs, adoptant mille formats dans un éventail d'infimes variations de vert, de bleu, de rose. Textures diverses et couleurs du jour frayant avec la patine du temps. La patronne des Mexicains à perte de vue sans jamais être tout à fait la même. Impression de déjà-vu, de déjà-pensé.

Si je courais le long de cette avenue, me suis-je dit, son visage de douceur s'animerait sur mon passage, comme un *flip book* grandeur nature. Il suffirait d'avoir la foi, ai-je aussi supposé, pour que cette allée débouche sur le paradis. Je m'y suis engagée d'un bon pas, cette fois sans me retourner vers ton parasol, sans même en avoir envie. Sans le besoin de partager. C'était un sentiment nouveau. Agréable. Quelque chose qui ressemblait à un commencement.

La veille, le nez dans mon énorme guide historique de la ville, j'avais lu que cette beauté, érigée en symbole puissant par une foi entêtée et souveraine, était apparue, ironiquement, à un homme dont le peuple n'avait pas encore d'âme – ce n'est qu'en 1537, six ans après l'apparition miraculeuse, que Paul III a reconnu une âme aux Indiens, précisait l'ouvrage. Et j'ai pensé à mon âme, tout entière tournée vers toi, à sa tendresse obstinée; mais toi, la reconnais-tu? Depuis, la ferveur des fidèles venus des quatre coins du monde pour toucher, voir de leurs propres yeux – ¡ *Mire, mire!* – la preuve tangible de l'incarnation divine, n'a jamais faibli. Patronne du pays depuis 1737, reine de Mexico depuis 1895, elle est devenue en 1910 impératrice d'Amérique. Impressionnée, je me suis tournée vers toi pour te prendre à témoin. J'ai dit: La Morena, la Lupita, la Vierge noire du Tepeyac, la Guadalupe… Tous ces mots pour la désigner, la miraculeuse semeuse de roses, tu imagines? Dans la fraîcheur de la chambre d'hôtel, étendue sur le lit à côté de toi, je poursuivais ma lecture à voix haute. Tout près d'ici, dans ce quartier, se dresse en hommage à cette Vierge un des monuments catholiques les plus visités du monde. S'y trouve la tunique de San Juan Diego – canonisé sous Jean-Paul II, comme tant d'autres – sur laquelle est imprimée depuis 1531, et recto verso, l'image de la sainte colorée par des pigments inconnus sur la Terre à ce jour, tu te rends compte? Mais tu ne te rendais pas compte. Tu te moquais de tout ça, un œil sur l'écran de télé, amusé par un téléroman local sirupeux. Tu m'as regardée en fronçant les sourcils pour que je cesse la leçon d'histoire. Je ne sais plus t'intéresser, ai-je pensé, et ça m'a rendue triste comme les pierres. Puis j'ai continué dans ma tête, pour l'occuper un peu. Le plus grand miracle de tous les temps, disait encore le guide. Je ne savais pas si je croyais aux miracles, pas même aux tout petits, ceux de tous les jours qui font battre le cœur plus vite simplement parce que tu t'approches de moi.

Plus tard ce soir-là, nous étions un peu ivres et à nouveau amoureux. Quand le chauffeur de taxi avait dit combien de gens défilaient ici annuellement, quatorze millions de fidèles étaient apparus en même temps dans ma tête. J'étais étourdie par ce nombre effarant et par trois margaritas sublimes. Je me souviens d'avoir posé la tête sur ton épaule. Je souriais, mais tu ne me voyais pas. Tu étais déjà si loin. « Sainte Vierge, protège-moi » apparaissait, disparaissait, apparaissait dans le faisceau de lumière rouge du compteur défectueux. Au-dessus, une statuette de plastique bon marché. Lupita disco. Ensuite, j'ai fermé les yeux, et le taxi s'est envolé dans la nuit. Quand j'ai regardé par la glace, les lumières de Mexico formaient un tapis scintillant loin dessous. Nous n'avons rien dit, pas même après coup, comme s'il fallait avoir la foi pour mettre des mots sur ces phénomènes étranges réservés aux croyants et aux fous, mais pas à nous, cyniques renégats. Au cœur de notre mutisme, l'empreinte angoissante du sourire du chauffeur, spectre étrange dans la lueur rouge intermittente : « Sainte Vierge, protège-moi. Sainte Vierge, protège-moi… »

Là, au milieu de l'avenue Reforma, en plein soleil d'après-midi (l'heure des mirages), j'ai cessé de sourire sans m'en rendre compte. Je me suis arrêtée avec la certitude qu'au pas suivant les forces me feraient défaut. Tous les regards se sont posés sur moi, les yeux peints de la sainte me transperçaient de partout. J'ai baissé les miens, troublée. Quelque chose qui concernait ses yeux – qu'était-ce déjà? – est venu m'obséder tandis que je m'enfonçais en moi-même. J'ai serré les dents, le regard sur mes orteils. J'attendais que dans ma poitrine la bête se calme, j'attendais sans crier, la peur au ventre. Ta faute, j'ai murmuré, ta faute. J'y croyais, dur comme fer.

Un homme s'est approché de moi, a posé une main sur mon épaule, et je suis devenue une poupée de chiffon. Il a dit quelque chose que je n'ai pas compris, puis m'a entraînée vers son petit stand. Poupée muette, obéissante. Sur les étals, les vierges peintes me couvaient de leurs regards curieux. Il me semblait entendre leurs murmures fébriles dans mon dos.

Je me suis assise toute raide sur une petite chaise en bois. Des bribes de leurs conversations tournoyaient dans ma tête, paroles inutiles m'empêchant de rassembler mes idées. «On peut voir dans les yeux de la Guadalupe aussi précisément que dans l'œil humain» s'est glissé entre deux pensées, puis j'ai oublié. Le peintre s'est mis à nettoyer ses pinceaux. Je l'ai observé un moment. Il avait un profil spectaculaire, aux traits forts. Il ressemblait à un Indien du Nord.

Sur le chevalet était posée une petite toile abstraite fraîchement peinte. L'homme a suivi mon regard et m'a souri. Un frisson le long de mon dos, ma chemise humide glacée sur ma peau. Il a dit avec son accent étrange, en désignant la toile d'un geste de la main, *sea todo ojos* (regarder de tous mes yeux ?). Oui, du Nord, ai-je encore pensé.

Je me suis retournée vers la toile colorée – comment faire autrement ? – qui n'avait rien à voir avec les autres tableaux, toutes ces vierges. Elle portait ce titre, *La Travesía,* et chacune des traversées de cette interminable journée est venue m'étourdir, celle des langues, celle des apparences, de notre amour et de mes états d'âme, celle de cette allée dans un marché qui n'en finissait plus. Le petit crabe s'est remis à grouiller au fond de moi. J'ai vite fermé les yeux pour ne pas me perdre dans les traits qui serpentaient sur la toile, son centre attractif comme un trou noir.

Je me suis levée – *muchas gracias,* prononcé d'une voix blanche –, ai voulu reprendre le chemin en sens inverse, le plus court trajet vers toi (te retrouver, une urgence). Mais l'allée avait changé de visage. Devant moi s'étendait le marché brouillon qui nous avait accueillis le matin, aux dimensions humaines, avec ses babioles, ses artistes et toutes ces vierges peintes qui ne me regardaient plus. De quel côté partir? J'ai réfréné mon envie de courir. La chaleur, à nouveau, a refermé son étau de lenteur sur moi.

J'avançais maintenant sans sourire aux marchands qui m'invitaient à regarder – ¡ *Mire, mire!* –, à goûter, à acheter. Arrivée à une distance raisonnable du stand de l'Indien, je me suis retournée pour le regarder. Il était toujours là, monumental, à discuter avec un autre marchand. Son éclat de rire soudain m'a paru rassurant.

J'ai cherché ton parasol des yeux au détour des allées. Quand je l'ai vu, si près, mon cœur s'est mis à battre plus vite. J'ai accéléré presque jusqu'à courir, émerveillée une fois de plus par ce petit miracle amoureux.

Tu étais encore attablé là, un peu saoul et rigolard, l'air content de me voir arriver, cherchant dans mes yeux un accord de paix, du moins une trêve. Je te l'ai accordée tout de suite avec le soulagement qu'on ressent au sortir d'un rêve désagréable à texture de réalité. On verra bien. À ta table, il y avait un jeune couple de Montréal. Gilles et Sophie. Ils m'ont joyeusement serré la main. Ils étaient beaux, visiblement unis et animés d'une passion commune pour ce pays, sa langue, ses paysages et ses habitants. Tu as dit des voyageurs, pas seulement des touristes. Pas comme nous. J'ai jeté un regard en coulisse vers toi (pour m'assurer de ton amour), puis je me suis concentrée sur eux pour me détourner de mon désordre intérieur. Sophie était mignonne, Gilles, charmeur. Elle semblait navrée que je n'aie rien acheté en souvenir, a parlé des autres marchés, très bien mais pas aussi vivants que celui-ci. D'un élan spontané, elle m'a montré le petit tableau qu'ils avaient déniché plut tôt, et tandis qu'elle s'emballait de la richesse de l'art mexicain, j'ai cessé de l'entendre, happée par cette toile que je tenais maintenant entre mes mains, fascinée par ce dessin coloré que j'avais fui dans l'allée des vierges noires un instant plus tôt – combien de temps, combien ? –, découvrant seulement ici le sens des traits enchevêtrés formant un nœud au centre duquel mon regard allait invariablement se perdre, comme là-bas, devant cet Indien du Nord qui me demandait, je crois, d'être tout yeux. Cette fois, peut-être parce que j'étais entourée de voix aux accents familiers, peut-être parce que tu étais là à me couver du regard avec une tendresse manifeste – mon âme à nouveau reconnaissable –, je n'ai pas résisté, j'ai plongé. Et j'ai vu mon visage dans l'œil de la Guadalupe.

Le rituel

Ingrid déteste ce rituel depuis sa toute première visite au cabinet. Elle entre tout de même en souriant à la jeune femme qui, bienveillante, l'invite à accrocher son manteau à la patère et à s'asseoir sur la chaise droite devant le bureau. Au mur, deux photographies, des scènes de rue prises à Pékin quand la thérapeute y perfectionnait son art – elle dit art pour parler de sa pratique –, mais depuis ces photographies, a-t-elle avoué la première fois qu'Ingrid les a regardées, la ville a tellement changé qu'on ne s'y repère plus. On ne peut pas le nier, Pékin se transforme à une vitesse folle. Ingrid a répondu d'un signe de tête évasif, la Chine se résumant pour elle à un quartier de Montréal où l'on trouve des poissons séchés et des herboristes, à une recette de poulet général Tao qu'elle a adaptée aux goûts des enfants et à une série de jouets qu'il a fallu retourner à cause du plomb qu'ils contenaient. La vie d'Ingrid, c'est ici et maintenant, et parfois dans un futur proche quand ses inquiétudes la prennent.

Comme d'habitude, un parfum d'ambre flotte dans la pièce. Ingrid se demande si cela incommode certains clients ; tellement de gens, de nos jours, souffrent d'hypersensibilité aux parfums. Ingrid, elle, ne déteste pas, mais si cela avait été le cas, elle n'aurait pas osé le dire. La peur de déranger ; il y a suffisamment de personnes déplaisantes en ce monde, estime-t-elle, inutile d'en rajouter.

Les deux femmes se font face, se souriant l'une à l'autre sans chaleur. Le sourire qu'elles échangent est celui des convenances, comme si tout était à recommencer à chaque rendez-vous, pourtant nombreux ces temps-ci – depuis le retour des vacances, Ingrid vient toutes les semaines. La première fois (c'était au printemps ; elle se souvient d'être venue à pied, respirant l'odeur de la terre, des feuilles pourries mises au jour par le dégel et exhalant leur parfum écœurant), elle s'était assise timidement, mais avec une attitude ouverte, puis toutes les fois suivantes, avec une légère appréhension, vaguement honteuse de ce qu'elle s'apprêtait à subir.

La jeune femme est compétente, là n'est pas la question. Gilles, un collègue qu'elle admire particulièrement, ne jure que par elle, et Gilles est un homme exigeant. C'est pourquoi Ingrid continue de venir la voir pour traiter ces tensions douloureuses, cette fatigue, cette migraine, ce chagrin sournois qui arrive d'on ne sait où ni pourquoi. Elle en a tant besoin en ce moment. Mais voilà, il y a ce fichu préambule qui gêne Ingrid, trop polie pour y couper court et qui se demande constamment si les autres s'y plient volontiers. Elle en doute. Ingrid déteste sa docilité, qu'elle prend à tort pour de la faiblesse (à la maison, on lui reproche au contraire de décider pour tous, de régner sur l'ordre des choses avec une inflexibilité déplaisante ; mais cette métamorphose domestique est justifiée, se défend-elle : Raphaël est trop brouillon, il ne voit pas tout ce qu'il y a à faire, à prévoir, à penser). La voilà donc assise devant la jeune femme, avec, entre elles, l'étroit bureau en bois naturel – tout, dans cet espace thérapeutique, est en matière naturelle, et les couleurs, apaisantes comme la musique aux tonalités asiatiques ou indiennes, un peu chagrinante les jours où le cœur est moins bien accroché, ce qui veut dire, pour Ingrid, la plupart du temps. Dans cette période de tensions avec Raphaël, elle a l'impression que tout lui échappe, ce qui la mine, la mine ! Certains s'enivreraient tous les soirs, feraient la fête pour ne pas y penser ; Ingrid, elle, se soigne : yoga, acupuncture, natation et alimentation saine. Tandis qu'elle s'active, et qu'elle se pèse tous les jours, recherchant la rassurante impression d'être en totale maîtrise d'elle-même, de sa vie, Raphaël fait celui qui n'est pas concerné. Il vaque à ses occupations quotidiennes, l'air de rien, avec pour seul changement un ton plus ironique, presque méprisant, quand il s'adresse à elle. Une façon, croit Ingrid, de la blâmer pour ses états d'âme excessifs, comme il appelle parfois sa mélancolie, peut-être pour l'amoindrir, ou lui enlever une certaine légitimité. Raphaël, en tout temps, préfère la légèreté. C'est d'ailleurs ce qui l'avait séduite, et elle essaie de ne pas l'oublier. Mais cela s'avère de plus en plus difficile.

Invariablement, une fois sa cliente assise, la jeune femme place les cartes devant elle, une sorte de tarot, Ingrid ne fait pas trop la différence entre ces jeux aux figures impressionnantes, aux couleurs sombres et tranchées comme de mauvais présages. Chacune des cartes illustre une prophétie à deux sous qui rappelle les messages des biscuits de fortune, bien qu'elles soient nettement mieux écrites, concède Ingrid, toujours assez tatillonne sur la façon de formuler les choses. Elle a beau se sentir ridicule de se plier à ça, elle pige docilement une carte au hasard. Bien, dit la jeune femme en souriant, de façon réconfortante cette fois, comme si rien de négatif ne pouvait survenir en cette journée d'automne à la lumière scintillante. Elle prend la carte que lui tend sa cliente, lit à voix haute la pensée du jour. Il est question d'une personne hostile, de portes et d'occasions à saisir. Ingrid acquiesce, devançant la question à laquelle elle sait ne pouvoir échapper : oui, elle voit à quoi cela s'applique dans sa vie ; oui, le sens de cette phrase trouve un écho dans sa conscience, et pressée d'en finir, un autre signe de tête, oui. Au fond d'elle-même, Ingrid se barricade : pas question de faire des liens entre sa vie et un message de cartes à jouer. Le destin doit être plus grand que ça, sinon, quelle misère ! À ce moment précis de la consultation, alors qu'Ingrid est déjà à moitié fâchée contre elle-même et tout à fait déprimée qu'on lui impose ces superstitions de bonnes femmes (le genre de croyances qui fascinent sa mère, ce qui n'a rien pour l'amadouer), la thérapeute lui demande toujours, sans aucune transition – c'est ce qui indispose le plus Ingrid dans ce rituel, l'absence de transition –, comment étaient ses selles cette semaine. Le visage d'Ingrid se crispe en une expression quasi douloureuse. Elle déteste parler de ce genre de choses, si personnelles, plus intimes encore qu'une confidence amoureuse, qu'un secret entre sœurs. Elle n'est pas une personne fermée aux autres ou excessivement fière, au contraire, elle ouvrirait son cœur sur-le-champ, cela lui ferait même un bien fou, mais les sentiments se trouvent ici relégués au dernier rang au profit d'une vulgaire carto-mancie et des excréments. La première fois, Ingrid s'est empourprée jusqu'aux oreilles. Mais la jeune femme avait attendu la réponse patiemment en la regardant dans les yeux, armée de son imperturbable sourire bienveillant. Raphaël, se dit Ingrid avec humeur, n'y verrait évidemment rien de choquant. Il est toujours à donner des détails qu'on ne veut pas entendre sur sa santé intestinale. Elle croit même qu'il prend plaisir à la choquer, car il sait son aversion pour ces histoires infantiles. D'un autre côté, elle connaît l'impudeur de la famille de Raphaël, leur horrible habitude de laisser la porte des toilettes ouverte et leur manque de respect pour l'intimité physique des gens. Peut-être que cela a tout à voir avec son éducation, et rien avec elle ou avec un besoin qu'il aurait de la choquer. N'empêche, elle y pense toutes les fois que cette question est évoquée, et ça lui enlève toute envie d'arranger les choses entre eux. Elle tente de se ressaisir, de mettre de côté la grandeur d'âme qu'elle a érigée en rempart contre la laideur et le désordre du monde, et de répondre à *ça* sans émotion. Ce n'est qu'une fois le détail des selles évoqué – pas moyen d'abréger, la jeune femme veut une description précise – que la cliente peut enfin s'abandonner au traitement qui, il faut bien l'avouer, lui procure un profond soulagement. Picotements, chaleur qui se répand dans tout le corps en suivant les canaux souterrains jalonnés par les fines aiguilles. Et une telle énergie, les jours suivant le traitement : débordante, généreuse, salvatrice.

Il fait un temps splendide après la séance d'aujourd'hui. Les derniers rayons du soleil s'emmêlent dans les feuilles des arbres et leur orgie de couleurs. Ça ira, se dit Ingrid, ça ira. Elle respire déjà mieux. Il lui est arrivé plusieurs fois de recommander cette acupunctrice, mais sans jamais mentionner la déplaisante entrée en matière des consultations, qu'elle tient pour une honteuse digression thérapeutique. Elle voudrait être imperméable à ça, ces grotesques détails, mais non, ça ne marche pas. Carpette, pense-t-elle une fois de plus en s'éloignant, je suis une minable carpette. «Une carpette constipée», se moquerait sans pitié Raphaël. Au fond, Ingrid est convaincue d'être la seule à subir ce rituel sans se rebiffer. Comment peut-on imaginer Gilles, si intelligent, si sérieux, détaillant ses selles ou même tirant une carte de tarot? Cette idée, tout à coup, devient une séquence claire. Cela la fait sourire. Elle savoure un instant l'ironie, précisément celle qu'elle déteste chez Raphaël quand elle est faite à ses dépens. Une bouffée d'affection monte en elle, courant bénéfique qui lui donne envie de partager ces petites déconvenues avec son amour, mais elle s'est juré qu'elle n'en parlerait jamais. Elle l'entend d'ici: «Ce ne sont pas les aiguilles qui te libèrent, chérie, c'est parler de ta merde», mi-moqueur, mi-cruel. Non, plutôt mourir que d'avouer à Raphaël ces risibles moments de gêne.

Ingrid prend encore une fois le chemin des écoliers pour rentrer à la maison. Le temps de se refaire une dignité. Elle traverse le parc où les canards en formation

Dans la chambre andalouse

Assise le dos rond dans les gradins inconfortables, le menton appuyé sur ma paume avec une non-chalance que j'oublierai vite, j'embrasse l'assistance du regard, impressionnée par sa bigarrure. Impossible d'y déceler une dominante d'âge, de sexe, de couleur ou de fortune. À l'arrivée du torero dans ses habits de lumière, la foule chahuteuse devient une seule accla-mation, mouvement de liesse qui me porte un instant au-dessus de moi-même. Ascension partagée. À ma droite, Maria et Daniel échangent un baiser mouillé qui me fait détourner la tête dans un geste de pudeur un peu bête, arrêté à mi-parcours par l'apparition.

Le torero ressemble à mon amant.

L'image palpite jusque dans mon ventre. J'ai envie et j'ai peur de regarder, je le dis, mais c'est un murmure tellement mon désir de rester, de voir, est plus grand. Nous sommes des centaines, des milliers à attendre si fort, moi au centre, puisque c'est le mien, mon amant. Tandis qu'à son tour s'avance la bête, tout va à l'encontre de mon cœur, très lentement. Elle s'arrête à quelques mètres de l'homme, majestueuse. Ils tiennent une pose étrange et stylisée quand ils se toisent enfin dans le temps suspendu de l'arène.

Je profite de cette brèche pour me glisser secrètement entre l'homme et l'animal, entre la mort et le désir. Le goût du sang sur sa peau, son sel sur ma langue, le sel de mes journées d'été. Prise de vertige, je ferme les yeux jusqu'à ce que les cris de la foule m'obligent à regarder encore. Le torero ressemble à mon amant. C'est encore plus vrai la seconde fois, et toutes les suivantes : c'est lui.

C'est mon premier dimanche de corrida. « *Vas a ver, es fascinante* », avaient promis mes amis andalous devant mon air sceptique. Je voyais mal comment j'allais supporter ça, un combat, la torture de la bête, la mort en direct. « Fuyons les corridas ! » déclarait encore hier le chanteur Renaud, celui-là même dont je buvais les paroles à une certaine époque. C'est dire qu'il pouvait m'ébranler encore un peu. Mais maintenant j'y suis, et voilà que le torero s'avance dans la poussière de l'arène, magnifique, théâtral. Tout de suite happée, je referme les yeux, égoïste. Garder l'image pour moi seule.

J'y plonge, m'y noie jusqu'à me dire enfin que c'est mon amant qui ressemble au torero quand nous nous mesurons dans la chambre blanche au creux des après-midi sans fin de juin, alors que la brise fait onduler les rideaux et que le tissu léger effleure son front, *ton front, torero,* sa belle tête dansant au-dessus de moi, rasé de frais pour m'embrasser aussi tard que possible dans le déclin du jour. La vie frémit alors de partout, jusqu'à ce que l'un de nous s'éteigne doucement sous le regard victorieux de l'autre. Frisson fugace que de capituler. Quand il ferme les yeux dans un instant d'abandon, moi je les ouvre grand, bête aux aguets de son plaisir. Je me glisse alors sous sa peau, sous sa langue, sous ses ongles. Je l'encorne dans le cœur sans jamais être sûre de l'avoir atteint, et c'est toujours à recommencer, même quand juin n'est plus et que le soleil est couché depuis longtemps. Quand le vent frais fait qu'on laisse la fenêtre fermée et qu'il faut allumer la chandelle pour s'épier du coin de l'œil, savoir où foncer, quand feinter, pouvoir esquiver l'amour si tranchant qui menace de renverser, de mettre l'un de nous K.-O. Me viennent alors, dans notre corrida secrète, des envies insensées qui me font implorer, dans un souffle : danse, torero, danse pour moi, je te donnerai ma tête et tout ce que tu voudras.

Autour de nous la foule se tait. C'est si brusque. On dirait que le silence a éclaté dans l'arène. Le torero est touché ? J'ai peur. Tellement que j'ai ce réflexe d'enfant de me cacher la figure dans mes mains. Puis, quand la foule reprend vie, comme stupéfaite par sa propre clameur, je regarde entre mes doigts ouverts. La bête vacille, son cuir moiré de sang. C'est beau. J'ai une pensée triste pour l'animal, mais j'aime déjà d'amour le matador. Euphorique, je saisis Maria par les épaules et lui colle un baiser sonore sur la bouche. Elle rit d'un éclat rauque, rugueux. Je savoure le rire de Maria. C'est un rire qui monte de la terre, enraciné solidement dans la planète, dans sa vie souterraine.

C'est mon premier dimanche de corrida. Puis très vite c'est le troisième, le dixième… J'ai été piquée comme on l'est par l'amour, piquée dépendante, à la vie à la mort, même si on ne l'avoue jamais.

Jamais. C'est pourquoi, quand mon amant me dit une première fois, dans la chaleur intenable de l'été andalou, « un empêchement, ma toute belle » avec, dans la voix, l'assurance parfaite du traître, je ne bronche pas, me promettant vite de séduire un footballeur beau, costaud et riche. Baume dérisoire sur l'écorchure, qui reste secrète.

Le rythme lent de l'été s'empare de moi. Je m'alanguis. On se croirait dans un rêve, quand tout se transforme en un instant qui paraît des heures. Mon amant me regarde, déconcerté. Étrange portrait du matador devant un mollusque. J'imagine sa grimace au moment où il ouvre la bouche pour n'en faire qu'une bouchée. Je secoue la tête, chasse l'idée. Devant l'étal du poissonnier, au grand marché où je traîne des matinées entières, je m'arrête, grisée par les odeurs, les couleurs, la vie. Ça, et aussi les effluves salins de l'océan, à deux pas d'ici. À se concentrer un peu, on entendrait le lent mouvement régulier des vagues charriant avec elles toutes sortes de débris, subites apparitions dans l'évanouissement de l'écume blanche : bois, algues, coquillages, et puis là… Là, vous voyez ? Une frêle colombe s'est noyée. À hauteur de mon nez, montés en une jolie pyramide sur une assiette plate, je découvre les oursins, bêtes insolites et délicieuses. L'étonnement qu'ils procurent. Je souris, je pense à Picasso partout, dans ce pays de corridas.

Le soleil craquèle le sol aride. Il faut maintenant doubler le prix de sa place pour profiter de l'ombre dans les gradins, et ma fortune se réduit comme peau de chagrin. Je m'installe au soleil, supporte la fièvre, son délire. L'arène miroite de mirages. Bientôt, Maria et Daniel me trouvent trop absorbée par cet art barbare. Ils prennent un air contrit, se flagellent de m'y avoir initiée, cherchent à briser la fascination, l'ensorcellement. Je les regarde, l'œil hagard, force le trait, m'installe dans le confort de leur inquiétude amicale.

Blessures pansées par leurs pensées. Maria et Daniel sont beaux. Même s'ils sont jeunes (plus que moi), ils sont ensemble depuis au moins cent ans. Cette longévité dans l'amour transparaît dans la synchronicité singulière de leurs mouvements, qu'ils accueillent sans étonnement. Je les envie souvent pour ça, et le leur dis. Puis, je pense que moi, j'ai un amant très grand, très beau, et c'est un torero. Mon cœur s'emballe subitement, et je ne dis plus rien. J'ai de la démesure en toute chose, ce n'est un secret pour personne. Maria et Daniel entreprennent donc de me sortir des gradins en toute connaissance de cause. Ils mettent le paquet, ne taisent aucune ignominie, ne m'épargnent aucun détail.

Plus tard, mon torero ne se rase plus. Ses baisers m'écorchent, mais j'en redemande toujours. Je sais maintenant que les taureaux destinés aux corridas sont diminués par des tranquillisants, leurs grands yeux aveuglés par de la vaseline. Ils sont battus, piqués avant d'être achevés au poignard. J'en pleure toutes les larmes du monde et, par compassion, je déserte l'arène, tourne le dos à la foule. Je me méfie de mon amant, pourtant je demeure dans son cercle, taureau fou qui cherche à comprendre pourquoi la danse s'est ainsi cassée.

Un jour, je le regarde de mes grands yeux voilés, et il me semble que son soleil pâlit. Mutine, je recommence à écouter les disques de Renaud, me réconciliant du coup avec mon adolescence. L'homme, inquiet, s'arrête pour consulter les *aficionados* du regard, mais tout le monde s'en est allé.

Je me relève lentement, tête haute, menton fier. Mes amis, rassurés, partent pour un long et lointain voyage dans les premiers frissons d'octobre. Promesses de cartes, d'appels, et baisers tristes des départs. Maria rit. Son rire est un fado mélancolique. Daniel échappe une larme que ma langue attrape aux commissures de ses lèvres. *Mis queridos amigos*. Je me sauve en courant.

Seule, je reprends le fil de mes obsessions, m'enfonce dans un automne éblouissant, aux couleurs galvanisantes. Mes idées s'ordonnent en un savoir qui me dépasse. Je deviens sorcière. J'invente philtres et charmes pour envoûter l'homme que j'aime. Voilà qu'il me fait face. Son sourire, tonique, ravageur, me désarme.

Quand dehors viennent les folles bourrasques de janvier qui font douter du sens du paysage, mon amant, comme poisson, ondule jusqu'à moi dans les vagues des couvertures et j'oublie qu'il a été matador. Sa façon d'occuper l'espace fluctue selon les saisons, les désirs, les idées qui lui passent par la tête. Il est d'humeur et de taille variables. Quand il entre dans une pièce, son tempérament l'a toujours précédé, brise chaude ou tempête battante qui fait lever les yeux juste à temps pour le voir franchir le seuil. Ça me rend folle de lui chaque fois. Daniel dit que ce qui l'a séduit, chez Maria, c'est l'impression qu'elle donne d'avoir toujours les deux pieds posés à plat sur le sol, même quand elle marche, comme si rien ne l'obligeait à les soulever. « Une force calme, ajoute Daniel, un arbre souple vert tendre. » L'image me plaît. Elle me fait comprendre le mouvement des gens qui gravitent sur ma planète, et surtout l'attrait irrésistible qu'exerce cet homme sur moi, lui et son mystérieux pouvoir. Il est prince de la métamorphose. Curieuse, je modèle mes paumes sur lui. Je dis *vous* à mon amant, même si dans les faits mes caresses, comme mes rêveries, le tutoient éhontément.

Là, serrés comme des chatons au fond d'un panier douillet, nous complotons des accords secrets jusqu'à ce que le printemps se pointe.

Un dimanche d'avril, j'épluche mon lit comme un oignon, range couette et couvertures au fond du placard, déploie les draps frais qu'il soulève au-dessus de nous avec ses grands gestes d'homme grand, voiles d'un bateau, et nous partons en expédition. Son corps est un continent riche et mystérieux ; je n'achève jamais de le découvrir. Son cœur, une terre sauvage. J'attends d'en connaître la langue pour m'y aventurer plus avant. C'est difficile parce qu'il ne prononce jamais un mot devant moi.

M'attend dans la boîte aux lettres un matin clair : une carte de Maria et de Daniel. Je la soulève, le cœur en joie, et un tourbillon d'air fou me l'arrache des mains, disperse leurs salutations aux quatre vents. ¡*Holá!* amis volages ! Sur la terrasse, le printemps roucoule et je pense *nous, nous, nous,* en rougissant.

À l'été, mon amant m'annonce à son tour son départ. Un voyage sans moi au pays des blondes marines, des rousses ondulantes, des femmes oiseaux et que sais-je encore ? Moi si brune, si terrestre et cuirassée. Il cherche quelque chose, quelqu'un, me disent tous ses gestes, surtout ceux qu'il ne fait pas. Je remarque sa superbe quand il s'applique à se taire. Il a le silence défiant et blessant des hommes pris à rêver d'être ailleurs. Entrée par la fenêtre ouverte, une colombe passe entre nous comme un mauvais présage. J'ai alors le réflexe de prendre le large, mouvement de survie, mais je suis nue au milieu de la chambre, empêtrée dans un geste suspendu que je ne sais comment poursuivre sous son regard arrogant. J'ai oublié l'art de l'esquive, me suis ankylosée dans le ronronnement de l'hiver, me suis fourvoyée dans les promesses d'un printemps tapageur. Mon amour diamant détonne, ridicule contre son petit plaisir flétri.

Je m'accroche, cornes dures, bête obstinée. Juste avant qu'il m'abandonne, j'intrigue pour l'attirer dans mon lit. L'après-midi parfait de mai déroule son vaste horizon sur la chambre calme. J'ai le sourire enfantin de la promesse des jeux. Je connais les gestes, entame le lent flamenco de la séduction et il tombe dans le filet de mes caresses.

Ma langue dessine son squelette sur sa peau. Ses poils se dressent, mon amant se lève devant moi, gonflé par le plaisir. Une baudruche au milieu du lit. Avec sa tête un peu de biais qui attrape les rayons du soleil par le jour des rideaux, il me fait penser au taureau debout de Picasso. Je ris. Mon rire est frais, clair, aérien. Il danse dans la brise, puis tombe en cascades cristallines sur le taureau debout, perce d'un coup son élan de fierté, la rondeur de son plaisir. Mon amant se dégonfle orgueilleusement jusqu'à devenir une ligne de colère rentrée, acérée et dangereuse. Le torero est revenu, mais petit, colérique. J'ai le cœur qui s'affole. La peur entre en coup de vent dans la chambre, cavale vers moi et me saisit avec autorité.

« Une corrida ratée est une boucherie », disait Maria. « La dépouille du taureau devient une carcasse entre les mains du boucher », précisait Daniel. Je regarde autour de nous, cherche des yeux un miroir qui me dirait dans quelle représentation nous sommes. Si notre corrida est ratée, chez quel boucher échouerai-je? Mes idées s'embrouillent. Je ne sais quelle bouche murmure alors «et si je t'aime, prends garde à toi».

Sur la table de chevet, à portée de sa large main, banderilles et piques attendent leur chance. La mise à mort rôde dans la chambre comme seule issue à notre joute. Je regarde le matador, éblouie par sa lumière. Le rire tellurique de Maria traverse mon esprit, se répand dans mon corps, et je m'incline, tête première vers le cœur de l'homme. Une charge, presque une offrande. Je l'encorne au moment où une pique se fiche dans ma nuque. Le monde entier retient son souffle. Le torero est touché? Je relève la tête, sa lumière vacille, sa peau moirée de sang. C'est beau. Granero, El Gallo, Mejias… Il a l'élégance des grands quand il s'éteint devant moi. Corridas tragiques, que celles dont l'issue est la mort du torero. J'en pleure toutes les larmes du monde et je déserte l'arène, lourde, chancelante, sachant bien que le taureau meurtrier est banni, et qu'il doit être tué à son tour.

La vue brouillée, je me dirige vers le marché et sa vie étourdissante. Je m'effondre pesamment sur les pavés, au milieu des étals de poissons, de mollusques et d'herbes fraîches. L'impact de mon corps sur le sol fait dégringoler l'assiette et sa petite pyramide; je pense «oursins en chute libre». Je ris, un rire cassé. Des gens s'attroupent autour de moi. Tous ces visages gourmands penchés sur mon visage, jusqu'à fermer le ciel. De vilaines fées sur mon linceul. Peu à peu, la clameur devient murmure, comme si je plongeais dans la mer, à deux pas de là, avec ses vagues qui retombent sur elles-mêmes, parfaites, en un incessant ressac. Ma conscience glisse doucement entre les joints des pavés, liquide corrompu, corrosif, vite absorbé par la terre. Je me répands, souterraine, jusqu'à la mer océane, où une huître m'avale.

Clichés de gare

La gare était bondée. Ils s'étaient dit à telle heure avec une rose rouge à la main. Un cliché qui les avait amusés sur le coup, mais qui maintenant la faisait se sentir ridicule au milieu du va-et-vient. Violette n'avait jamais aimé se faire remarquer, surtout pas toute seule au milieu du monde. Pourtant, elle n'osait pas laisser tomber la fleur, ni même la camoufler un peu. Elle s'y accrochait comme si la suite de sa vie en dépendait, et le constatait avec agacement.

Bien sûr qu'ils se reconnaîtraient, même si ces vingt années passées loin l'un de l'autre avaient déversé des torrents d'événements, de ceux qui font changer les choses peu à peu ou parfois brusquement : une ride

ici, une mèche blanche là, deux naissances et quelques
deuils, mais surtout ces deux nouvelles dents à l'air si
artificiel juste devant. Elle n'arrêtait pas d'y penser, y
glissait sa langue constamment en un tic disgracieux.
Mon sourire a changé, de l'intérieur aussi, s'excusa
Violette au fantôme (l'idée qu'elle s'était forgée de lui
au fil des ans, entre souvenirs et inventions) qui
l'accompagnait depuis le matin.

Ils avaient passé cinq ans ensemble. C'est beaucoup et trop peu, lui avait-il dit la dernière fois qu'ils
s'étaient croisés – oh ça devait bien faire huit ans de
ça, il promenait une poussette neuve, luxueuse avait-il
semblé à Violette, avec un gros bébé joufflu endormi
dedans. Elle n'avait pas trop regardé dedans. Le mot
« indécent » rôdait dans son esprit, comme s'il avait été
déplacé de montrer un bébé à un ancien amour qui
n'avait pas porté ses fruits. La brutalité de cette rencontre – la poussette – avait fait bifurquer l'attention
de Violette sur autre chose que la conversation, pour
l'essentiel brève et convenue, cette drôle d'affirmation
mise à part. Elle étrennait ce jour-là une robe bleue
qui lui allait particulièrement bien, c'est ce qui lui
venait toujours à l'esprit quand elle pensait à cette
rencontre, d'abord la poussette et le malaise, puis tout
de suite la robe bleue accompagnée d'un délicieux
apaisement. Elle ne lui avait pas dit qu'elle s'était
mariée – pourquoi? elle l'ignorait. Surtout, elle ne
voulait rien entendre de sa vie à lui, de la mère de

l'enfant (son second, apprendra-t-elle plus tard par hasard – des amis d'amis ignorants ou feignant de l'être).

De lui, elle croyait se souvenir de tout : chaque pli, courbe, creux de son corps, le grain de sa peau, la façon dont les frissons la parcouraient quand elle y glissait doucement un doigt. Leur relation avait été faite de cela du début à la fin, des frissons sur la peau ; plaisir, bonheur. Ils étaient trop jeunes alors pour en mesurer la valeur, en comprendre la rareté, voilà ce qu'elle se disait aujourd'hui. Peu d'hommes avaient tenté de la faire chavirer depuis lui, et tous avaient échoué (enfin, plus ou moins échoué), même ce mari dont elle admirait tant la prestance et la force de caractère, qui lui avait tout donné, tout, y compris le sentiment inébranlable d'être adorée, et qu'aujourd'hui elle plantait là parce qu'il y avait eu cet appel d'un ancien amour pas mort, pas mort du tout. La main moite sur le combiné du téléphone, elle en avait pris toute la mesure, troublée.

Ils avaient tellement aimé voyager tous les deux, vraiment, qu'une gare leur était apparue tout indiquée. À celle-ci, pourtant en plein cœur de Paris, ils n'étaient jamais venus, ni ensemble ni après. Il leur manquait donc ce voyage pour compléter une sorte de tour du monde vertigineux, une cartographie intime ponctuée de lieux de passage, comme celui-ci. Le prochain départ? L'embarras du choix, aimaient-ils à se dire, le cœur battant comme l'aventure sait le faire battre.

Pour le moment, c'étaient les arrivées qu'elle surveillait, et aussi, autant qu'elle le pouvait, les entrées de la gare – d'où surgira-t-il? – et sa respiration restait en suspens. L'endroit fourmillait d'une vie extérieure à elle, à son attente fébrile. Violette avait posé sa valise à ses pieds et scrutait les visages des hommes – Dieu qu'ils étaient nombreux –, tentait d'isoler les timbres de voix, est-ce le sien, peut-être, je ne sais plus, se décourageait-elle. En filigrane du monde réel, une scène encore imprécise tramait sa journée depuis le début, la faisait rester là, s'affoler, se ressaisir: allaient-ils s'embrasser et comment?

Elle avait gagné avec les années une certaine dignité un peu distante, et elle aimait cette image d'elle-même, la cultivait dans son cercle de connaissances. Mais voilà que ce brusque retour dans le temps la faisait voler en éclats. Les femmes sont plurielles, voilà l'affaire, se défendit-elle en elle-même, un jour on est respectable, le lendemain on envoie tout promener parce qu'un fantôme, parce que sa jeunesse… Elle s'était mise à faire tourner la rose entre ses doigts, très vite, en passant d'un même élan la langue sur ses dents neuves. Elle n'avait jamais cherché à le revoir – elle croyait si fort au hasard, sans ça, que reste-t-il? – n'avait jamais écrit ni téléphoné. C'est lui qui l'avait fait. Violette finit par se convaincre que son destin venait de la rattraper, et sa vie lui parut brusquement plus vaste, plus riche. Cinq ans, c'est beaucoup et trop peu, admit-elle à son tour, c'est assez pour que naisse un amour fou, mais insuffisant pour en épuiser le sel. Cette fois, elle passa sa langue sur ses lèvres (l'évocation du sel sans doute), puis elle craignit d'en avoir enlevé le rouge. Elle fouilla dans son sac, en remit rapidement d'une main assurée, la rose glissée dans la poche de son imperméable. Cela aussi avait changé; à un certain âge, une femme doit faire quelques efforts. Cet âge était arrivé.

La gare continuait de se remplir, ça devenait cauchemardesque. Autour d'elle, si près que les parfums, les bagages se mêlaient aux siens : une famille iranienne, nombreuse (ils étaient au moins huit), venue reconduire une parente dans des effusions de toutes sortes ; un chien en laisse, et au bout, personne, un fugitif ; un homme aveugle marchant d'un bon pas, le menton levé haut, plus qu'il n'est naturel, touchant le bout d'une chaussure de sa canne, toc, puis la patte du chien, qui disparaît aussitôt entre les jambes des voyageurs. La rose, un peu flétrie déjà entre les doigts de Violette, deux baguettes ridiculement serrées autour de la tige rigide, la tête croulant sous le poids du rouge, lourd de tant de signification – « Rouge ! » disaient les fleurs de Rainer Maria Rilke d'une voix effrayée – elle sourit en pensant au romantisme sans fin du poète, à ses roses apeurées du jardin des Tuileries. L'écrivain qu'il préférait, absurdement tué par l'épine d'une rose – « Rouge ! » murmura-t-elle, comme une incantation pour le faire enfin apparaître.

L'heure du rendez-vous était passée d'une demi-heure. Ce n'est rien, ce n'est rien. Une demi-heure, ce n'est rien après vingt ans ; c'est une goutte d'eau dans la mer. Elle adorait la mer.

« Tu serais partante pour un voyage ? » avait-il demandé au téléphone. « Oui, je suis partante. » Elle avait répondu d'une voix si posée. C'est de ça qu'elle se souvenait le mieux, sa voix quand elle lui avait répondu. Ensuite, le petit tic-tac s'était mis en marche, excitant, vaguement menaçant.

Sur la pointe des pieds, Violette regardait bien, tournait la tête en tous sens le plus efficacement possible en s'imprégnant de tout, une éponge. Partout autour, débordant le réel et se déversant maintenant en elle, la vie des autres : un bébé hurlant dans les bras de sa grande sœur qui, ne sachant pas quoi faire, cherchait des yeux sa mère invisible ; une femme entre deux âges nourrissant de pain un pigeon prisonnier à l'intérieur de la gare en lui parlant, mais ce n'était pas des mots, la femme roucoulait ; une jeune Africaine riant d'un éclat cristallin pendant que sa copine se tapait sur une cuisse ; la famille iranienne s'éloignant de quelques pas pour saluer le départ de grands gestes de la main, du bras, en renversant la valise de Violette, qui la laissa choir de peur de rater quelque chose plus haut, à hauteur d'homme, de femme, de cœur. Soudain, une main effleura son dos – il sembla à Violette qu'elle s'attardait –, elle se retourna vite, mais ce n'était pas lui. C'était la foule toujours plus dense que tentait de percer la rose – Rouge! Assez, poète! – de sa couleur profonde.

Violette, étourdie, ferma les yeux. Quand elle les rouvrit, elle l'aperçut, là-bas, de dos – ces épaules-là, les mêmes –, et la vie interrompit son flux régulier. La gare entière devint une photo qui tremblait. « Maria! » appela un garçon tout près, si près que sa voix effleura son cou, une caresse chaude tellement il y avait de douceur dans ce Maria! Plus loin, l'homme se retourna; son sourire n'était pas le bon, pas le sien. « Maria! » appela encore le garçon, et Maria apparut dans la foule – un ralenti, beau comme dans un film. Ils se sont trouvés, se dit Violette. Cela lui redonna espoir.

Violette plongea son regard dans la foule, la scruta bien. Les gens s'agglutinaient de plus en plus autour d'elle, respirant le même air. Cela lui donna la nausée. De son observatoire au centre du hall, elle se retournait toutes les trente secondes, interceptait voix, couleurs, regards, les doigts enserrant toujours la fleur pivot.

Pour chaque éclat de rouge, elle se faufilait entre les corps, forçant un passage, un pas, deux, avant de se rendre compte que ce n'était pas lui. Ce n'était jamais lui. Une rose rouge, c'était bien une rose rouge ? Elle parlait tout haut, s'en aperçut par les regards qu'elle croisait. Des mains la touchaient, les gens la toisaient. Voilà qu'elle doutait du jour, du lieu de rendez-vous, de la réalité de l'appel. Bien sûr qu'il lui avait téléphoné. Ça l'avait rendue si fébrile. Elle ravala ses larmes. Il ne viendra pas, pensa-t-elle, ou il s'est enfui, ce qui était bien pire à envisager.

Violette laissa tomber la fleur, la regarda s'écraser au sol. Quand elle se pencha pour la ramasser, elle vit que sa valise n'était plus là, nulle part autour. Au milieu de cette journée trop dense, Violette se sentit abandonnée.

Quand elle était petite, elle s'était perdue au milieu d'une foule comme celle-ci. Pas longtemps, juste quelques minutes à se frayer un chemin entre les jambes des géants aux pantalons bariolés – les années soixante-dix dans toute leur splendeur. Elle devait écarter les jambes et les ventres devant son visage rougi par l'effort, la panique, pour avancer, tenter de trouver une brèche dans ce cauchemar, un visage connu, les chaussures élégantes de sa mère. Cette fois-là, elle n'avait pas tout de suite trouvé sa mère, ni son père, mais elle avait repéré, sur un chariot oublié, la malle contenant leurs affaires, s'y était arrimée solidement. Ils ne repartiront pas sans les bagages, avait-elle pensé – et elle avait eu raison. Ils étaient revenus au chariot quelques secondes plus tard, une minute à peine, souriants, sans jamais s'être rendu compte du drame de leur petite fille. Elle n'avait plus voulu s'éloigner des bagages.

Violette voulait maintenant partir de cette gare à double fond qui engloutissait lentement ses espoirs, mais la foule se refermait sur elle, l'avalait. Bientôt, il ne resta plus que la tête rouge de sa rose éplorée qu'elle portait bien en évidence, le bras levé au-dessus des visages, chapeaux et chevelures de toutes sortes – au cas où. Un sauvetage peut encore arriver en ce monde, disait sa grand-mère, qui égrenait son chapelet en murmurant du bout des lèvres une litanie qui faisait à Violette l'effet d'un mauvais sort sur son passage, entre la cuisine et la chambre où elle allait s'enfermer avec des livres. Son enfance avec les livres. Précieux trésors. Et cette pensée la réchauffa. Ils lui avaient appris l'infinie patience qu'il faut pour éprouver le monde, l'avaient laissée entrevoir l'idée de la compassion – la compréhension n'existait pas, une illusion.

Violette savait que c'était trop tard, qu'il ne viendrait plus. Il ne surgirait pas devant elle, son fameux sourire accroché aux yeux. Elle ne sentirait pas la délicieuse petite décharge électrique au contact de sa main sur son bras pour lui signifier « je suis là » ; elle ne vérifierait pas le décolleté de sa blouse trois fois, n'hésiterait pas à attacher le dernier bouton, à le défaire, à le boutonner de nouveau sous son regard amusé. Ils ne décideraient pas, le cœur battant, de la destination de leur fuite ; ne se demanderaient pas s'il fallait embrasser l'autre, et comment ; ne seraient pas à l'affût du moindre mouvement de leur âme. Ils ne monteraient pas les hautes marches d'un wagon, elle ne penserait pas au regard posé sur sa nuque en avançant dans le couloir du train, il ne placerait pas pour elle le lourd bagage au-dessus de la banquette, qu'ils ne choisiraient pas. Elle ne serrerait pas les lèvres pour cacher son sourire emprunté, pas plus qu'il ne lui parlerait de ses enfants, de leur mère, et elle ne verrait pas, avec une satisfaction qu'elle n'aurait pas à camoufler, la comparaison entre elle et l'autre tourner à son avantage. Non, une évidence qui ne se présenterait pas.

L'image d'elle au téléphone ce jour-là était pourtant claire. Mais avec qui parlait-elle ?

La gare, bientôt, ne fut que désolation. Violette avança à petits pas sous les regards navrés, traversa le silence opaque et affreusement gênant. L'affligeant spectacle de la compassion, pensa-t-elle, aussi réelle qu'un décor de carton-pâte. Elle sentit la brûlure des larmes sur ses joues et renonça à endiguer la déferlante.

Les sillons du mascara suivant ses petites rides lui donnaient l'air d'un pathétique raton, son index percé par une épine de la rose qui avait disparu, comme le reste. Un chien – le même, elle le reconnaissait dans son naufrage – lui emboîta le pas; personne ne le rappela. Elle traversa le hall, puis les quais. Elle ne s'arrêta pas avant le dernier wagon du plus long train, son double canin sur ses talons, la laisse pendante. Elle détestait les chiens. En montant les trois hautes marches, elle souhaita très fort qu'il soit devenu laid, vieilli prématurément, chauve et ventru; elle se demanda, en regardant les rails, si elle oserait s'y étendre, sans croire vraiment à l'honnêteté de cette question. Violette n'avait rien d'une héroïne de tragédie. Elle avança dans le wagon où une seule passagère était déjà installée. Sur le banc, en face de celle-ci, Violette reconnut, presque sans surprise, sa valise. Alors elle s'assit là, près de la fenêtre. Le calme silence de sa voisine la rassura. Elle regarda son reflet dans la vitre, nettoya le noir autour de ses yeux, remit du rouge sur ses lèvres. Elle sourit de toutes ses dents, satisfaite de ce qu'elle voyait, de ce nouveau sourire qui n'était, somme toute, pas si mal. Sans autre raison, elle se sentit rassérénée.

Des gens emplirent peu à peu le wagon dans un tourbillon de vie. Le chien attendait toujours devant la porte, la queue battant d'espoir sur le ciment du quai, que quelqu'un l'appelle enfin. Personne ne lui fit attention. Violette y pensa avec un certain mépris. Quand le train se mit finalement en branle, elle demanda à sa voisine, le cœur battant « Où va-t-on ? » « À la maison, bien sûr », répondit la femme en lui tapotant doucement la main. Le prodigieux hasard, se dit Violette. Sans ça, que reste-t-il ?

Le dernier wagon

Ma vie s'est arrêtée dans ce train, en direction de Lausanne, au début de la nuit. Nous étions tous épuisés, même Thomas (surtout Thomas), qui avait porté le petit sur les derniers kilomètres de sentiers par une journée alpine spectaculaire. Nous rentrions à la maison le lendemain, après un dernier arrêt au bord du lac Léman; les enfants voulaient refaire du bateau. J'étais contente de moi, de nous tous. C'était magique, cette impression d'avoir organisé des vacances parfaites.

Ils étaient tous endormis, les jambes pêle-mêle sur les banquettes du TGV, presque désert à cette heure. Nous avions attrapé avec bonheur le dernier de la soirée, avions calculé serré sans trop de risques, les trains suisses étant toujours à l'heure. Nous l'avions vérifié plusieurs fois avec émerveillement depuis notre arrivée. J'ai enjambé les bras et les jambes de la fratrie de petits tigres, ai effleuré l'épaule de Thomas du dos de la main, légère caresse qui l'a fait sourire dans son demi-sommeil. Pas au point qu'il ouvre un œil. Le bel amour, cheveux en bataille, barbe rêche. J'ai pensé que si c'était à refaire pour arriver ici avec lui, je referais tout pareil. Tout. Je me souviens très bien de m'être dit ça, exactement ça.

Nous avions choisi la Suisse parce que nous voulions éviter tout imprévu pour notre premier voyage en famille. Je n'étais que la mère de substitution ici, mais je régnais comme un soleil sur ce petit clan si attachant qui m'avait accueillie sans rudesse ni méfiance excessive. Je les ai admirés quelques secondes dans leur abandon, les aurais regardés longtemps, mais je devais aller aux toilettes. Nous occupions le dernier wagon, alors j'ai avancé dans l'allée dans le même sens que le train. Je suivais le courant, les sens engourdis par la chaleur ambiante. Trente pas ; je les ai comptés machinalement. Les toilettes les plus proches étaient inaccessibles. Impossible d'ouvrir la porte, malgré le voyant vert allumé. J'ai jeté un œil derrière moi, personne ne s'était réveillé, pas un mouvement du côté de mes intrépides montagnards. Je suis entrée dans le wagon suivant. Cinquante pas pour le traverser en entier. Je n'avais vu ni bagages ni autres traces d'occupation sur mon passage, pourtant, le voyant rouge indiquait qu'il y avait quelqu'un dans les toilettes. J'ai avancé encore jusqu'à l'autre wagon – encore cinquante pas –, progressant avec le train qui continuait sa course à travers la campagne suisse. On ne voyait pas grand-chose dehors, la nuit était tout à fait tombée maintenant. Ici et là, des lampadaires parsemaient la toile noire du paysage, scintillant rappel de l'humanité toute proche. C'était rassurant, dans ce train fantôme. À croire que nous ramener à l'hôtel était sa seule mission. Un train nolisé rien que pour nous. Je n'avais jamais vécu cela avant, nulle part ailleurs. Pourtant, j'avais beaucoup voyagé.

Thomas et moi nous étions connus en Espagne, lors d'une corrida qui nous avait fait grande impression – pas pour les mêmes raisons, mais nous adorions tous les deux en raviver le souvenir, en reparlions souvent, attisant nos désaccords presque avec délectation. Thomas aurait aimé que nous y retournions tous ensemble, pour montrer aux enfants ; un genre de pèlerinage. Thomas était si fier de nous – «notre amour flamboyant», disait-il. Mais les corridas, avais-je protesté en pensant au plus jeune, si petit encore qu'une éraflure prenait des proportions inimaginables quand venait l'heure de l'immerger dans un bain chaud. Thomas avait opiné, il comprenait, et nous avions cherché autre chose de plus... de moins terrible et sanglant. Alors nous avions pensé aux Alpes, à *La Mélodie du bonheur* (les enfants reconnaîtraient), à la nourriture réconfortante qui plairait à tout le monde, ce qui n'allait pas toujours de soi, et au plein air bien encadré, mais avec le dépaysement de l'Europe, tout de même.

Les premiers jours, nous regardions le paysage défiler avec le ravissement de gens qui n'ont jamais voyagé. C'était vrai pour eux, les petits. Thomas et moi nous régalions de voir leur enthousiasme pour tout, pour l'ivresse du bateau – qu'on prend ici comme un bus – comme pour la sécurisante monotonie du train. Et puis les cloches des vaches qui carillonnaient dans la montagne, apparitions furtives dans le brouillard qui enveloppait le téléférique. Les enfants avaient adoré. Moi aussi. Oh oui, moi aussi.

Au moment où j'arrivais aux toilettes du wagon suivant, le train s'est engouffré dans un tunnel. Je me souvenais de ce tunnel ; à l'aller, il nous avait semblé si long, plusieurs minutes d'obscurité. Par jeu, nous avions commencé à compter les secondes, mais nous nous étions vite lassés. J'ignore pourquoi j'ai hésité à ouvrir la porte des cabinets. J'imaginais le train comme une longue couleuvre de néon se faufilant rapidement dans un terrier dont je n'arrivais pas à voir la sortie. J'ai chassé l'image. Mon imagination courant à bride abattue, encore. J'ai eu envie de revenir sur mes pas tout de suite, de regagner le dernier wagon où dormait l'essentiel de ma vie pour me couler le long du dos de Thomas, respirer l'odeur humide des cheveux des petits, leur transpiration sucrée. C'était bête, comme idée ; j'étais rendue maintenant, qu'est-ce que j'attendais ? D'où j'étais, entre les deux wagons, je pouvais voir quelques têtes dépasser des banquettes, plus loin devant. Traces d'humains. Une tête s'est retournée : une dame assez âgée. Elle avait l'air d'attendre son tour, m'a indiqué d'y aller d'abord, alors je me suis dépêchée pour ne pas la faire patienter trop longtemps.

Il faisait froid dans la cabine, mais tout était propre (un autre avantage des trains suisses, avait décrété Thomas quelques jours plus tôt, tout est nickel). Dans la glace, malgré l'éclairage aux néons qui d'habitude ne pardonne rien, j'étais tout à fait splendide avec mon air de femme heureuse et en santé. Les vacances, le grand air, l'amour. J'ai souri à mon reflet, mais le cœur n'y était pas ; pas tout à fait. De façon absolument irrationnelle, une inquiétude s'insinuait quelque part derrière ce joli visage. Au moment où je m'assoyais sur le siège recouvert de papier neuf, on a annoncé l'entrée en gare « Siders, Sierre », dans les deux langues cette fois. Nous quittions la Suisse allemande. Avec la barrière linguistique est tombé le sentiment d'isolement ressenti toute la journée. J'ai pensé au corps chaud de Thomas, aux cent trente pas qui me séparaient de lui.

J'ai pensé aussi à l'hôtel, à notre lit. L'impatience d'être enfin là-bas exacerbée par l'approche du but. Quelques gares seulement, encore quelques-unes.

J'ai attendu l'arrêt du train pour me relever parce que le ralentissement aurait rendu ma stabilité précaire. Ensuite, j'ai lavé mes mains avec la mousse de savon au lourd parfum fleuri, les ai rincées correctement. Comme il n'y avait plus de papier, je les ai essuyées sur mon jean, la paume, le dos. Je me souviens si exactement de chaque geste dans cette minuscule cabine, comment ai-je pu rater tout le reste?

J'étais prête à sortir quand le train s'est remis en marche. Pour ne pas tomber, j'ai dû me retenir à la barre de métal posée à cet effet près du lavabo, le temps que la locomotive ait atteint sa vitesse. Ce contretemps m'a rendue nerveuse, je crois même que j'ai dit quelque chose à voix haute, un mot d'exaspération, ou alors ce n'était qu'un soupir appuyé. Je ne sais plus. C'est là que ma conscience des gestes, des mots, a commencé à faire défaut; des ratés me privant d'une partie du puzzle, des trous pour toujours incomblés. Il y a forcément eu quelque chose, *mais quand*?

Lorsque j'ai tenté d'ouvrir la porte, la poignée s'est coincée. Je l'ai sentie tourner sous mes doigts, j'ai entendu bouger le mécanisme à l'intérieur, puis plus rien. Mon cœur s'est mis à battre n'importe comment, et je n'ai plus réussi à me calmer. Ce qui se tenait tapi en moi depuis quelques minutes m'a envahie graduellement, une panique que je ne comprenais pas. Je me suis raisonnée tant bien que mal, ai résisté à l'envie de frapper la porte de mes poings, de mes pieds ; à l'envie de crier. J'ai inspiré et, d'un mouvement décidé qui aurait fait autorité sur n'importe qui (mais sur une porte ?), j'ai tourné de nouveau la poignée. Le mécanisme a obéi. De soulagement, j'ai éclaté en sanglots. Je me suis immédiatement sentie bête.

En sortant des toilettes les yeux noyés de larmes, j'ai vu la vieille dame me regarder avec un mélange de gratitude et d'indignation ; j'étais restée si longtemps à l'intérieur. J'ai attendu qu'elle s'approche pour lui expliquer, la mettre en garde contre le mécanisme de la porte, pour lui offrir de rester à côté, au cas où elle serait coincée à son tour. Elle m'a répondu d'un ton sec en allemand. Je n'ai pas compris, et je n'ai pas insisté. Je n'avais qu'une envie, regagner le dernier wagon où mes amours sommeillaient paisiblement. Alors j'ai tourné les talons. C'était ce qu'il fallait faire, ce que n'importe qui aurait fait, tourner les talons, un mouvement qui se répète en boucle dans ma tête depuis : tourner les talons. Et voir *ça*. Réaliser que, devant moi, il n'y avait plus rien, pas de suite. Le train s'arrêtait là. Il n'y avait que les rails et le paysage rongé par l'obscurité défilant à une vitesse vertigineuse ; la peur infinie s'ouvrant comme un gouffre. La couleuvre s'était rongé la queue. C'est la dernière image que j'ai eue avant de m'écrouler : une couleuvre géante avalant mes amours, ma vie entière dans sa gueule, à jamais.

J'y pense chaque jour, à chaque heure, à chaque minute depuis que nous sommes rentrés à la maison. Thomas, les enfants : tout le monde marche sur des œufs toute la journée pour m'épargner, tous si prévenants, si présents. « Tu as les nerfs comme de la laine, maman », me dit le petit. Et chaque fois je m'effondre, bouleversée parce qu'il m'appelle maman, ou simplement parce qu'il est là. Il se ressaisit aussitôt et me caresse doucement les cheveux, comme je le faisais parfois avec lui pour apaiser ses chagrins dans cette autre vie d'avant le train. On lui a dit d'être gentil avec moi, parce que j'ai effectivement les nerfs en pelote. Alors je tiens bon, toute la journée je tiens bon. J'attends la nuit avec une forme d'appétit morbide pour pouvoir enfin poursuivre ce cauchemar, à la recherche d'une issue, ou d'une simple lueur, d'un sens.

Chaque nuit, quand le sommeil m'emporte, je marche le long des rails, longtemps. Le lac Léman bordé de montagnes brille sous la lune. Je ne suis que douleur sous ce ciel grandiose ; la tête vide, même pas une chanson, un air approximatif, d'amour, de chagrin, pour m'accompagner. Je cherche un air tragique, quelque chose de fort, mais le miroitement de la lune sur l'eau, le spectre majestueux des montagnes dans cette toile surréelle me happent l'âme.

Je m'arrête avant la gare de Sierre, à peu près là, oui, à cet endroit, me dis-je, la conscience subitement affolée. Je ferme les yeux, j'attends. Un lièvre dans les buissons, sans doute est-ce un lièvre, brise le silence parfait. Je dis tout de même Thomas ? mais je sais que c'est un animal et que personne ne me répondra.

Enfin, une nuit, une bise mordante se lève, charriant l'écho lointain d'un train. Le sol sous mes pieds, un tremblement qui me gagne tout entière. Le dernier train de la soirée (un train neuf, nickel, précise la voix lointaine de Thomas) passe sous le ciel constellé d'étoiles, il passe tout près, si près qu'en étirant le bras je pourrais… J'avance une main dans le vacarme, loin devant moi, jusqu'à ce qu'un éclair blanc me propulse vers l'arrière. Dans cet éclat le train disparaît. Pschit ! Il ne reste dans l'air froid que sa cadence fantôme. Je reste longtemps comme ça, entre stupeur et dévastation.

Tout est si calme ensuite. Je ne vois, ne sens, n'entends rien. Pourtant, je sais que quelque part par là, par ici, une partie de ma vie égarée erre à ma recherche. Je m'assois au milieu de l'herbe haute et des cailloux. Peu à peu sortent des buissons des créatures de l'ombre, menues silhouettes poussiéreuses de bord

de chemin qui m'entourent en un cercle parfait, intri-
guées par mon chagrin. Je n'ai pas peur, mais je ferme
les yeux pour ne pas croiser leur regard ; je résiste aux
petites voix enjôleuses et aux assauts de leurs mains
me tripotant partout où elles peuvent m'atteindre,
curieuses. Je m'imagine que ce sont les enfants, un
samedi matin d'hiver, grimpés dans notre lit avec leurs
bousculades joueuses, de plus en plus impatients de
nous voir nous lever. Je garde les yeux bien fermés,
paisible pour la première fois depuis le train, m'abandonne au délice de ce songe, souhaite ne plus me
réveiller.

Eux, tous les autres

« Ils disent que ça va devenir comme la Floride, ici. »
La femme renifla, posa sa pile de journaux sur le
sol souillé de neige sale, sortit un mouchoir chiffonné
de sa poche et se moucha bruyamment sans mesurer
l'effet de ses paroles sur les gens autour – on ne savait
d'ailleurs pas trop à qui elle s'adressait. Puis, comme
pour faire un lien avec l'actualité, pour montrer
(à qui?) qu'elle n'avait pas lancé ça en l'air: «Ils disent
qu'il va faire plus chaud que la normale ces jours-ci. »

Cette journée, au contraire, avait été l'une des plus
glaciales de l'hiver (personne sur la patinoire du parc,
rues désertes et tristes, encore plus froides depuis
qu'on avait retiré les lumières des fêtes de Noël).

La vendeuse de journaux était entrée se réchauffer un moment au guichet automatique où nous étions quelques-uns à attendre en file, prisonniers de son bavardage décousu, vaguement irritant. « Ils disent aussi que les catastrophes naturelles vont pas juste toucher les autres pays, ailleurs, que ça s'en vient ici, et pires que le déluge du Saguenay. » Elle renifla encore. Elle était peut-être enrhumée. Je pensai, dégoûtée, aux microbes qu'elle devait trimballer. J'avais hâte de sortir de là. Ce point de service bancaire devait être le plus exigu de toute la ville, mais c'était celui qui était le plus près de chez moi. Comme nous étions tous habillés comme des ours, il commençait à faire vraiment chaud. Je détestais cette proximité – je détestais toute proximité, depuis un certain temps. « Préménopause », avait diagnostiqué ma mère avant que je claque la porte pour de bon, je crois qu'elle n'aurait pas risqué « peine d'amour », car j'avais des envies de tuer, ces jours-ci. La femme reprit sa pile de journaux par terre. Des coulisses d'eau sale glissaient sur la manche de son manteau. Elle ne s'en rendait pas compte, semblait ne pas avoir conscience de grand-chose de ce côté-ci du réel. C'était embarrassant, je sentais poindre en moi l'obligation d'être aimable en même temps qu'un mépris obstiné – et pourquoi pas les autres ? Je n'aimais pas être ennuyée de la sorte. *Le spectacle de la petite misère, que Dieu m'en préserve le plus souvent possible.*

« Remarquez, ils se trompent peut-être. » Elle avait fait une longue pause avant de dire ça, comme si elle avait continué la conversation dans sa tête, et donc on ne savait pas vraiment à propos de quoi « ils » se trompaient peut-être. Je regardai les autres furtivement pour voir s'ils connaissaient, eux, l'identité de ceux-là qui prophétisaient de si grands malheurs, cataclysmes, tornades ou météo du jour, et sous toutes réserves en plus ! Les journaux ? La télé ? Les gens du quartier ? L'horoscope ?

Comme chacun feignait de ne pas entendre, elle avait l'air de parler toute seule. Sans doute ne possédait-elle pas cette notion de conventions sociales qui fait qu'on s'adresse à des gens, pas aux entités qui vivent dans notre tête, je ne sais pas. Je me hâtai de prendre les billets et de sortir de là sans regarder personne, en me disant « une bonne chose de réglée, n'oublie pas de te laver les mains en rentrant ».

Le vent s'était levé dans le début du soir. L'air froid transportait des milliers de petites lames cinglantes qui m'attaquaient de toutes parts. De gros nuages noirs menaçants fermaient le ciel, immobiles, comme si le vent se contentait de basses besognes, au ras du sol, avec les gens. Ce sombre plafond au-dessus de nos têtes laissait croire que l'heure avait filé d'un coup, appelant la nuit noire sur la ville, alors qu'on aurait dû être entre chien et loup. Les lampadaires grésillèrent, comme hésitants, puis s'allumèrent tous à peu près en même temps.

Je traversai la rue. J'avais donné rendez-vous à une copine avec qui je n'avais pas particulièrement d'atomes crochus (sa façon de livrer son âme sans qu'on lui demande rien), mais qui m'avait récemment tirée du pétrin en me prêtant de l'argent, je me sentais donc son obligée. « J'trouve ça sympa, l'argent, j'aime bien quand on m'en donne » ; j'ai toujours détesté cette chanson parce qu'elle me parasite l'esprit constamment.

J'entrai au restaurant chinois d'en face, qui n'avait de réellement chinois que la musique. Mais Élise l'adorait. On avait réaménagé la salle à manger, et elle paraissait plus vaste. Sans faire preuve d'un meilleur goût, les propriétaires y avaient ajouté des éléments plus luxueux : lampes dorées, recouvrement de velours sur les chaises. Ce qui frappait le plus, c'était l'épaisse moquette sang-de-bœuf dans laquelle le pied s'enfonçait et qui donnait à l'endroit un côté feutré pas déplaisant, par cet hiver brutal, mais étonnant ; rien n'était moins indiqué qu'une moquette pour un restaurant. Il y faisait très chaud et il régnait là une ambiance de bordel. Ridiculement, j'évitais de croiser le regard des hommes attablés sans compagne. Ils étaient plutôt nombreux, malgré le fait qu'il était encore tôt. Élise mangeait à une heure désespérante.

À mesure que j'avançais entre les tables, la chaleur étouffante me gagnait ; les joues en feu, je défis le col de mon manteau, dénouai mon écharpe et respirai profondément. Ça sentait le sucre, l'ail et la friture.

Élise m'attendait au fond de la salle, comme toujours plus animée que la moyenne des gens, et trop voyante. Son visage parlait déjà, ses mains, sa posture entière me faisaient de grands youhou ! Je lui envoyai un signe de la main contenant toute la légèreté dont j'étais capable. Je pensai : *si elle aborde ma rupture avec Gilles, je lui parle du poids qu'elle a pris.* Cette résolution me réconcilia un instant avec l'idée de ce rendez-vous.

Après m'avoir embrassée bruyamment sur les deux joues et complimentée sur mon manteau pourtant défraîchi, elle se mit à papoter, sans plus s'arrêter de tout le repas, insupportablement pimpante. Pendant ce temps, je fis ma liste d'épicerie, tranquille, élaborant mentalement quelques nouveaux menus, entrecoupés pour la forme de « han han, bien sûr, oh moi tu sais »… Soudain, elle laissa tomber comme une conclusion évidente : « Ils disent que c'est tendance, le tapis dans un resto. » À nouveau aux aguets, je lui demandai brusquement : « Qui "ils" ? » Elle me regarda comme si j'étais une apparition. Elle ne comprenait pas ma question, ne savait pas de quoi je parlais. J'insistai, mais après quelques tentatives, je sentis le regard des gens sur moi, comme pris à témoin de la question folle que je lui posais. Je n'aimais pas cette attention soudaine, alors je lui dis de laisser tomber. Je pris l'addition qu'on venait de déposer sur la table. Elle protesta pour la forme. « J'trouve ça sympa, l'argent, j'aime bien quand on m'en donne… » revint m'agacer sur un fond de musique cantonaise. « Ils », ce devait être ces stupides magazines féminins qu'elle consommait en quantité déraisonnable. Quoi qu'il en soit, « ils » étaient trop bavards aujourd'hui. Je nouai mon foulard pour qu'il couvre bien tout le bas de mon visage contre le vent agressif, le nez, les oreilles. Je me sentis soulagée du silence qui régnait sur ma vie, encore plus opaque depuis que Gilles était parti.

Cette nuit-là, je rêvai, rêvai… Le genre de nuit qui vous épuise l'âme. Chaque réveil me laissait en sueur, des bribes de scènes confuses accrochées à mon esprit. Je me souvenais de la Floride, entre autres images décalées, mais une Floride qui ne ressemblait à rien, brûlée de soleil et craquelant de partout, parsemée de terrains de golf dont les verts étaient recouverts d'épaisses moquettes sang-de-bœuf. Là, un gros homme me prenait brusquement la main, glissait un doigt gourmand sur mon avant-bras et caressait le creux de mon coude. Quand je me retournai pour me rebeller contre cette intrusion intime, il me dit en riant qu'« ils » faisaient ça partout maintenant, que c'était très écolo, la moquette au lieu du gazon. Son rire gras empestait le poulet général Tao. Et aussi cet autre rêve : Élise tenait une pile de journaux crasseux pendant que la vendeuse chantait sa sympathie pour l'argent devant le guichet automatique qui crachait des billets sans s'arrêter. À tout moment, j'espérais me réveiller, le bras lourd de Gilles en travers de mon corps m'arrimant solidement au monde. Mais j'émergeai seule et affolée de ma nuit. Le téléphone sonnait.

Il faisait jour. Le soleil inondait la cuisine, le givre grignotait les vitres en laissant là, pour le plaisir des yeux, de jolies morsures de dentelles. Pieds nus sur le carrelage froid, je répondis à ma mère. Je savais que c'était elle. C'était toujours elle.

« Allô… »

Mon ton morose, bien sûr, ne lui échappa pas.

« Tu t'es encore levée de mauvais poil ?

— …

— Je te rappelle après ton café ou tu changes de ton tout de suite ? »

Je raccrochai sans rien dire. Je pris une longue douche brûlante, m'habillai de rouge pour combler mon besoin d'être vue – un rouge « regardez-moi, j'existe», rien de terne, rien de flou, et je sentis que j'avais fait quelque chose de ma vie, du moins un pas dans la bonne direction. Ma mère ne rappela que lorsque je fus attablée avec un café fumant et le journal du matin. Je décrochai, un peu mieux disposée à répondre à son venin.

Ma mère avait toujours fait ça, chercher la bête (ou l'ange, selon l'humeur), l'endroit où ça risquait le plus de provoquer une réaction, rire ou douleur, cris ou silence électrique. Elle détestait la tiédeur, la mollesse. Ma mère était piquante, et aussi très sucrée, d'une cruauté rivalisant avec celle des grands despotes, m'étais-je toujours dit, à moitié émerveillée bien malgré moi. Sa principale ambition : que je sois comme elle, son miroir, sa prolongation. Je résistai longtemps, mais je devais bien me l'avouer : je lui ressemblais de plus en plus.

Son appel, ce matin, sentait le piège à plein nez. Elle avançait à tâtons, usant de formules désagréables toutes faites comme pour gagner du temps. Je me méfiai d'emblée.

« Qu'est-ce que tu veux, exactement, maman ? »

Elle hésita. Elle qui n'hésitait jamais.

« C'est au poumon. Ils disent que c'est peut-être malin.

— Qui "ils"? mon exaspération soudain ravivée.

— Les médecins, ma fille! "Ils", ce sont les médecins. Qui veux-tu que ce soit?»

C'était bête, je savais que c'était bête, mais je me sentis soulagée qu'elle le précise avec autant d'humeur, qu'elle en parle comme d'une évidence. Ensuite, l'information fit son chemin jusqu'à ma conscience. Un cancer. J'eus tout de suite envie de dévier, de penser au givre de la vitre, de suivre ses dessins glacés du bout des ongles, de gratter de plus en plus frénétiquement la fine couche blanche jusqu'à ce qu'elle recouvre le bout de mes doigts.

« ... »

Je l'entendais respirer plus fort que d'habitude dans le combiné, mais elle ne disait rien.

Je me lançai :

« T'es certaine qu'ils... que les médecins ont dit ça comme ça, malin? C'est peut-être pas vraiment ça, il faut en voir d'autres, tu sais.»

Je lui parlais comme à une enfant. La vérité : je n'avais pas envie de voir ma mère s'effondrer, je n'étais pas outillée pour ça. Dans la famille, on ne s'effondrait pas, on ruait, quoi qu'il arrive.

« Je ne vais pas mourir, tu me prends pour qui ? Tu m'as déjà vue perdre une bataille ? »

J'évitai de lui parler de papa, ce n'était pas le moment, surtout qu'elle m'aurait illico remis le nez dans mon propre désastre amoureux.

Nous ne dîmes plus grand-chose ce matin-là. La peur de nous perdre, c'est-à-dire de ne plus nous reconnaître dans la délicatesse de l'instant, soudainement fragiles. Je tentai seulement de changer de sujet, de parler d'Élise, d'en faire un portrait ridicule duquel nous aurions pu nous amuser un peu, nous rallier contre quelqu'un, la faiblesse de l'autre nous révélant plus cinglantes, drôles, solides. Mais ma voix était étrange. Je parlais, et on aurait pu dire que c'était moi qui étais malade.

Nous raccrochâmes enfin. En fait, c'est elle qui le fit, non sans m'avoir parlé de Gilles, juste une petite mesquinerie, comme pour donner le change. Même pas de quoi me mettre en colère. Devant la possible maladie de ma mère, les événements de ma vie prenaient une autre dimension. Ma robe me parut déplacée, mais je la gardai quand même parce que j'étais vivante et qu'il fallait bien le montrer. Je partis chercher un semblant de réconfort dans les boutiques du centre-ville. Conserver l'apparence de la vie ordinaire, faire comme si, laisser l'odeur de cuir d'une paire de chaussures neuves ou la douceur d'un tricot de soie assorti à la couleur de mes yeux me faire croire que tout allait bien, une grande montée d'endorphines. Ne pas être là quand elle rappellerait tout à l'heure.

Le centre-ville était calme, le froid sévissait aussi impitoyablement que la veille. J'aurais aimé m'enfoncer dans un tourbillon de gens occupés, pressés. Un moment, je me retrouvai même en tête à tête avec les publicités géantes du couloir reliant le métro à la ville souterraine : « Ils vous conseillent, vous guident et vous gâtent », paroles appuyées par l'image de gens incroyablement souriants. « Il vous faut du soleil ? Ils espèrent vous voir… » Re-sourires de gens heureux à courir acheter un maillot de bain. Puis, plus loin : « Ils n'ont rien à cacher, confiez-leur vos finances ! » Je pressai le pas pour leur échapper. Ma mère malade – peut-être malade – et Gilles parti – vraiment parti –, qu'y pouvaient-ils ? « Qu'y pouvez-vous ? » criai-je avant de m'engouffrer dans les grands magasins.

Deux heures plus tard, deux petites heures magiques pendant lesquelles « ils » m'avaient laissée tranquille, je ressortis des boutiques apaisée, un sublime manteau sur le dos, légère d'avoir si peu compté. « Ils » n'avaient rien confié aux vendeuses du centre-ville, ne s'étaient pas exprimés par la bouche d'un sans-abri, avaient déserté les panneaux publicitaires et renoncé aux diagnostics catastrophes dans les cabinets médicaux. J'avais l'impression de m'être retrouvée et d'être prête à affronter l'adversité, ou simplement un autre appel de ma mère.

Dehors, le vent avait tourné. Il soufflait doux, presque tiède. À croire que j'avais passé la saison entière à courir les boutiques. Le soleil qui brillait entre les tours semblait plus jaune, moins pâle que l'astre d'hiver des derniers temps, de tout à l'heure. *« Ils » avaient raison,* me dis-je machinalement, *il fera plus chaud que la normale.* Sans m'en rendre compte, je commençais à leur accorder du crédit.

J'enlevai mon joli bonnet de laine, remis de l'ordre dans mes cheveux du bout des doigts. Je décidai de rentrer à pied. Il faut dire qu'« ils » m'incitaient à le faire, statistiques à l'appui, une campagne contre l'obésité placardée sur les murs tous les trois mètres. Je pressai le pas.

La vendeuse de journaux s'était installée dehors, sa pile de papier à côté d'elle, sur un bout de trottoir sec. Elle me reconnut, m'interpella, bla-bla, et je dus me montrer aimable – une réussite discutable. « Ils disent que l'économie mondiale est en crise. » Je lui pris l'exemplaire qu'elle brandissait devant mes yeux pour clore l'épisode, mais en vain, elle continua son monologue. Je lui tournai le dos.

Ce que je vis devant moi fut brutal, presque violent. Ils étaient là, à quelques mètres. Ils, ma mère et Gilles. Eux qui avaient toujours été si méfiants l'un envers l'autre, animosité sensible, ils riaient. Tous les deux ils riaient, légers comme des idiots qui n'ont rien compris à la vie. Rien compris. Une rage sourde monta en moi.

Ils ne m'avaient pas vue, ni l'un ni l'autre, trop occupés d'eux-mêmes et de leur soudaine amitié. Il prit sa main entre les siennes, elle sembla heureuse, pas souveraine, juste heureuse d'un air que je ne lui connaissais pas. « Ils ont l'air de bien s'amuser », me glissa au passage un petit homme qui promenait ses chiens, et je ne savais pas s'il parlait d'eux ou de ses bâtards qui se roulaient dans la neige sale. Je me sentis exclue, d'autant plus seule que je n'avais jamais envisagé que la solitude pût aller jusque-là, cette profondeur-là.

J'avançai d'un pas vers eux sans savoir ce que je ferais rendue là. Une scène ? Sûrement pas moi ! Mais je ne le sus jamais, puisque je m'effondrai en chemin, un pas qui me conduisit dans une autre dimension, là où il fait si sombre et froid. Un trou noir.

Cela dura trois jours, paraît-il. Quand j'émergeai, Gilles était là, première vision post-ère glacière. Gilles avec ses joues pleines et son teint pâle, ses cheveux jaunes si fins d'angelot. Il avait les yeux cernés comme s'il s'était fait du souci pour moi. Je pensai « culpabilité ». J'avais mal partout – mon corps, un grand morceau de douleur ; mon cœur, parti je ne sais où voir si j'y étais. Mon crâne dans un étau et mes bras prisonniers de sangles sur le lit d'hôpital. Comme s'il avait suivi mes pensées, Gilles s'excusa presque pour ça, cet emprisonnement ridicule. Un peu bafouillant, il me dit qu'« ils » m'avaient retrouvée dans la rue, très mal en point. Je tentai de rassembler mes souvenirs effilochés, mais je ne voyais rien, et rien qui puisse justifier les sangles.

Plus loin, dans la chambre blanche, dans un coin dérobé à mon regard, ma mère se leva – son parfum musqué – et, sans s'approcher, elle précisa d'un ton égal : « Ils disent que tu t'es jetée devant une voiture. » Elle voulait dire : tu peux être dangereuse pour toi-même. « Ils disent que tu es sortie en courant d'une boutique, un manteau volé sur le dos – tu es une voleuse, ma fille ? – et que tu ne pourras pas rentrer seule chez toi. » Je fus émue à la pensée de Gilles, à la maison à nouveau – ils feraient donc mon bonheur. Elle attendit plusieurs secondes, un silence indécent de promesses pour moi, avant de conclure : « Tu habiteras chez moi un certain temps. » Gilles posa des yeux délavés et compatissants sur moi, ses cheveux jaunes pendouillant au-dessus de mon corps saucissonné dans son attelage barbare, me prit la main, la broya dans la sienne. Je fermai les yeux et serrai les lèvres pour ne pas lui cracher au visage, à lui et à eux, tous les autres.

Le bébé de Maria

Nous avions remis cette visite quatre fois avant d'en arriver à la conclusion que nous ne pouvions nous défiler davantage. « Il faut ce qu'il faut, amour, m'avait dit Patrick, subitement pragmatique, ce sont les seuls amis qu'il nous reste depuis que notre amour se révèle si exclusif. Allons de ce pas entretenir l'amitié. » Cela faisait bientôt deux ans que nous nous regardions dans les yeux. En général, cela nous suffisait amplement, mais parfois, comme ce jour-là, il nous venait quelques scrupules envers ceux qui continuaient à nous faire signe – même de loin en loin –, ce qui n'avait rien à voir avec la nostalgie, cette amie pourtant intime qui m'avait désertée dès le premier jour passé avec mon amour, la première seconde même. L'amour à tout prix; le reste, futilités.

Bien sûr, il nous fallait un cadeau, une carte, et comme je suis nulle là-dedans, j'avais laissé Patrick choisir. Ce qu'il avait trouvé me paraissait étrange, un tantinet inquiétant pour conserver ce lien ténu qui nous liait encore aux nouveaux parents, mais je n'avais rien dit. Je ne voulais pour rien au monde menacer ne serait-ce qu'un instant notre magnifique symbiose. L'amour-passion se nourrit aussi de silences, avais-je pensé avec philosophie. Et il ne fallait pas contrecarrer notre mission une fois de plus. J'avais donc enrubanné la chose et nous nous étions rendus chez nos amis pour voir leur progéniture toute neuve, encore fripée et rougeaude. «Et vous, qu'attendez-vous?» J'avais balayé de la main comme une vilaine mouche la voix de ma mère, pleine de reproches, qui me poursuivait jusque-là. *Basta mama!*

Devant la porte d'entrée, j'inspirai profondément, me répétant qu'il fallait que je me montre empressée, que je m'exclame, que je m'émeuve. Je n'étais pas certaine d'avoir ces ressources en moi. Peut-être que Patrick me ferait la surprise et qu'il y mettrait du sentiment pour deux. Je l'embrassai goulûment, comme si je cherchais mon air dans ses poumons, puis je sonnai.

L'ambiance était telle que je l'avais redouté, à la fois collante et ensoleillée, peut-être même pire que ça, un brin lourde, comme les seins de Maria, qui tendaient exagérément son minuscule t-shirt. «Je ne sais plus quoi mettre, s'excusa-t-elle en réponse à mes pensées prétendument secrètes. J'ai hâte d'avoir repris ma taille.» Elle était très bien, sa taille; Maria était aussi appétissante qu'un melon mûr, tout le monde la dévorait des yeux, même Patrick, ce qui me causa un pincement déplaisant juste là, sous mes désespérantes petites pommes. Je bombai le torse pour faire bonne figure.

Gilles, nouveau papa aux traits tirés par la fatigue, mais éclatant de fierté, nous fit avancer au salon où s'entassaient les divers cadeaux reçus: bavoirs bleu poudre et jaune délavé, hochets, peluches, interphone; toutes ces choses auxquelles nous avions été incapables de penser, tout à fait de circonstance, utiles, et qui me firent douter davantage du choix de cadeau de Patrick. Je lui jetai un regard incertain, mais mon amour ne me voyait pas, lui-même semblant pris d'une envie de fuir proche de la panique. Je touchai sa main, lui souris, et il se remit à respirer correctement. La griserie de mon pouvoir sur lui me fit tanguer doucement au son de sa musique fantôme.

Nous étions tout juste arrivés, à peine là, que Maria, un doigt sur la bouche, nous entraînait vers le

noyau de la maisonnée, une pièce pastel d'où s'ordon-
naient désormais nuits et jours, sommeil, repas et
aussi amour – *le font-ils encore?* me demandai-je,
trouvant dommage de gaspiller une poitrine aussi
splendide. « Oh! » Je m'exclamai la tête penchée sur le
berceau, cherchant à reconnaître une forme humaine
dans ce petit tas de langes jaune poussin et de bouts
de peau rose. Il me semblait avoir vu des dents derrière
la moue du nouveau-né. « Qu'il est beau! » me repris-
je précipitamment. Ça sonnait faux. Gilles me jeta un
regard inqualifiable, et je détournai les yeux. Je détestais les regards de Gilles, toutes ces variantes d'expressions dont le sens m'échappait. Certains savaient les
décoder; pour moi, ils restaient opaques. Gilles était
surtout l'ami de Patrick, mais notre implicite mise en
commun de tout comprenait les regards de Gilles.

Malgré notre attroupement de bouffeurs d'air
autour de lui, bébé continua de dormir, ses petits poings
bien serrés. Alors nous reculâmes d'un même mouvement vers le salon, où Gilles proposa à boire (limo-
nade, eau pétillante, thé glacé), en s'excusant de ne pas
tenir d'alcool à la maison depuis l'arrivée de « bébé
Gustave » (échange de regards humides des parents à
l'évocation de leur progéniture), ce à quoi Patrick
répondit qu'on allait survivre à ça. Je me demandai s'il
parlait vraiment du fait qu'on ne boirait pas d'alcool.
Je ris. Visiblement, mon amour avait retrouvé son
aplomb en s'éloignant du berceau. Je pensai *Quel*

magnifique duo d'incompétents de l'enfance nous fai-
sons. Là, c'est moi qui fus émue. En moins de deux,
comme ça, sans crier gare, je me mis à pleurer. Je fondis
en larmes comme un sucre dans une tasse de thé.
L'émotivité est ce que j'ai de plus généreux, de plus
spectaculaire parfois. Devant moi, qui me liquéfiais
sur la moquette grise, nos amis, interloqués, et Patrick,
démuni. Il se précipita, ses bras sur mes épaules comme
un lainage en pleine canicule, tellement inutile que
je me mis à rire à travers mes larmes. Et ce chagrin
venu de je ne sais où, si vaste qu'il emplissait en entier
le salon de Gilles et Maria, se transforma en une chose
hybride totalement grotesque. Je me tus aussi subitement que je m'étais répandue, le visage couvert de
plaques rouges, la honte. Malaise de tous les côtés.
Je fis aussitôt le souhait de me réveiller à la maison
dans notre lit merveilleux. Mais non, cela n'arrive
jamais sur demande, ce genre de trucs.

Pour faire diversion, je dis « Le cadeau, mon
amour » sur un ton qui se voulait léger, mais déter-
miné, et qui l'aurait été sans la fausse note dans ma
voix au mot « cadeau ». J'évitai de regarder Gilles,
essayai de ne pas voir la tache sombre qui se dessinait
sur les seins de Maria. Bébé Gustave se mit à pleurer,
les parents se précipitèrent.

Laissés à nous-mêmes au salon, nous avions tous
les deux envie de fuir. Je le savais même sans regarder

mon amour, mais comme nous étions venus pour ça, nous nous assîmes sur la causeuse, genou contre genou comme de timides amoureux en attendant de voir la bouille de ce cher «bébé Gustave». L'intonation de Patrick dans ce doux murmure à mon oreille nous fit pouffer, vraiment, et j'oubliai le chagrin, le manque, le désir d'un cocon fertile qui m'avait saisie l'instant d'avant. *Basta mama, basta! Tu vois, je ris. Laisse-moi tranquille maintenant.*

Les nouveaux parents reparurent, soudés au milieu par ce paquet de couvertures un peu grouillant duquel s'élevaient de petits craquements sourds. Je redevins nerveuse, me méfiant de moi-même comme d'une matière explosive. J'avais eu un comportement suffisamment étrange pour qu'on ne me le colle pas dans les bras, c'était déjà ça.

Maria s'installa dans le fauteuil à ma gauche, et Gilles lui tendit précautionneusement le petit, le si petit Gustave dont je voyais pour la première fois la tête entière. Ses haussements de sourcils continuels formaient des vagues ondulantes sur son front dégarni, aucun poil sur sa minuscule tête d'œuf. Ses petits bras avaient des mouvements saccadés d'automate. Il était craquant, mais j'étais toujours sur mes gardes.

Maria s'installa pour lui donner le sein, joli tableau que je ne pouvais quitter des yeux. Hors champ à ma droite, Patrick avait entamé une discussion très sérieuse sur le dernier Tarantino. «Je n'ai pas pu le voir encore», avait enchaîné Gilles avec une pointe de déception dans la voix, mais je ne pouvais en être sûre, parce que les intonations de Gilles, je ne les comprenais pas non plus. Patrick se mit ensuite à parler de vieux films, zone d'intérêts où ils se retrouvaient toujours tôt ou tard. Cette fois, je me dis qu'il préparait le terrain pour le cadeau, mais Gilles parlait déjà d'autre chose, quelque chose de plus domestique, pendant que Gustave, aveugle, cherchait du bout du nez le grand mamelon brun de sa mère, qui l'aida doucement avec sa main. Si Maria évitait de me regarder, je sentais que Gilles, lui, ne me lâchait pas des yeux, comme si mon débordement d'émotions lui donnait quelque droit de jugement sur ma personne – évidemment, oui. Gustave ouvrit enfin la bouche et je revis l'éclat blanc, plus ou moins blanc, de ses petites dents. Je retins l'exclamation qui me monta à la bouche en mettant mes deux mains dessus, comme dans les dessins animés. Gilles se mit à rire d'un éclat que je n'ai pas aimé, plutôt méchant. Mais qu'en savais-je? Fascinée, je gardai les yeux rivés sur la mère et l'enfant, je vis l'auréole de sang sur le sein de Maria, les dents du bébé qui apparaissaient dans son demi-sourire d'enfant qui tète. Un sourire de hyène. Je pensai au cadeau de Patrick, de plus en plus à-propos, me sembla-t-il. «Gilles est un cinéphile, et c'est un fan de Polansky… Tant qu'à devoir passer toutes ses soirées à la maison», avait affirmé mon amour, sensible à ma réaction muette devant la pochette de *Rosemary's Baby*. Quand le cinéphile arrêta enfin son cirque, je me levai, je sortis du sac de Patrick l'emballage froufroutant, le déposai sur les genoux de Gilles, que je regardai dans les yeux. Je m'attendais à y voir de l'ironie, ou du mépris. Mais bien sûr, je ne pus dire ce que c'était.

Je ne me retournai pas vers Maria et Gustave, parce qu'à la vue du sang, j'ai tendance à défaillir. Nous sortîmes de la maison sans rien dire, comme de vrais frustes, moi livide, Patrick amoureux. Une fois dans la voiture, mon chéri prit mon visage dans ses deux larges paumes, et je repris exactement ma place dans le monde. Il planta son regard dans le mien et me demanda : « Tu veux un bébé, mon amour, c'est ça ? » Je me remis à pleurer, inconsolable. Comment savoir ce que je voulais, comment sait-on, quand cette idée nous met de si épouvantable humeur ?

L'arbre mort

L'arbre, un jasmin d'appartement, était mort au printemps. Je l'avais simplement sorti sur le balcon, par paresse, et ce grand squelette de bois gris fendant le vent doux de mai avait naturellement pris sa place dans mon paysage urbain de quelques mètres carrés. «Une telle négligence, avaient dit mes admirables amis, c'est tout toi.» J'aimais bien qu'on me qualifie, qu'on me trouve des particularités qui me faisaient me sentir un peu spéciale, même pour les défauts. Papa disait : «Ta façon d'être une peste, j'adore.» Cela me rappelait cette époque remplie d'odeurs d'après-rasage et de disputes avec ma mère.

Au cœur de l'été, sans que je m'en aperçoive tout de suite, la vie avait refait son nid dans la terre de l'arbre. De petites pousses vert tendre commençaient à poindre un peu partout, et à mesure que la vigne du voisin gagnait du terrain le long du mur, recouvrant tout de son vert dense, différentes sortes de verdures se disputaient la terre de l'arbre mort. Je laissai faire la nature, de plus en plus fascinée par cet entêtement à occuper chaque parcelle d'espace libre. « Qu'on me donne une fraction de cette combativité ! » avais-je lancé à mes amis en racontant cette histoire, déclaration emphatique qui était tombée à plat. Bien entendu, pour ces gens au quotidien si palpitant, la vie vue de mon balcon équivalait à regarder l'océan par le hublot d'une cabine, la grande muraille de Chine sur un prospectus de voyagiste. J'avais donc gardé la suite pour moi, même si elle s'était révélée plus spectaculaire – du moins à mes yeux, moi qui avais risqué ma peau dans cette épreuve horticole.

À la mi-septembre, une pousse avait finalement triomphé des autres et s'étendait en travers du large pot, recouvrant et débordant le tout, pleine de vie. Elle était d'une couleur chatoyante entre le jaune soleil et le vert laitue, avec une touche de rose sous les feuilles longues et fines. Une beauté réjouissante qui ne m'avait demandé aucun effort, pas un geste. Je l'admirais comme on admire de belles étoffes sans savoir qu'en faire, matériau d'autant plus fascinant qu'on n'en tire aucune utilité. Comme les nuits fraîchissaient vite, je devais décider du sort de cette enfant sauvage : allais-je la rentrer ou la laisser périr à la première gelée d'automne ?

À cette époque, je consultais quotidiennement l'horoscope, les messages des biscuits chinois m'apparaissaient pertinents et je croyais fermement au destin. D'une certaine façon, cette plante me semblait en être le fruit. Mais surtout, j'avais cette impression tenace de connaître depuis toujours son profil étrange d'arbre mort au pied noyé dans une splendide verdure ébouriffée. Elle ne ressemblait à rien de la végétation environnante, ni à l'érable déployant ses larges feuilles jusqu'à toucher le toit, ni à la vigne qui grignotait maintenant la moitié de la façade de la maison, ni aux fleurs sagement ordonnées dans les bacs du balcon voisin. Ce cadeau me venait du ciel, apporté par un oiseau ou un insecte. Oh, le bonheur de tels présents ! J'ai vérifié la terre pour m'assurer qu'aucun parasite n'accompagnait ma nouvelle pensionnaire. Ses feuilles, sous mes doigts, avaient la douceur du velours. Cette pensée fugace m'a chagrinée sans que je sache pourquoi. Je me suis secouée un peu ; on ne peut pas s'inquiéter continuellement de ce qui nous traverse l'humeur, on ne peut pas. La plante semblait saine. Je l'ai prise et j'ai fermé derrière nous ma petite terrasse pour l'hiver.

Quand je suis entrée dans la maison, ce lourd chargement dans les bras, mes plantes en pot ont tressailli. C'était un léger mouvement, un froissement discret des feuilles, à peine un frémissement, mais je l'ai bien senti, et puis l'ai oublié, prise dans le tourbillon des petites choses qui accaparent l'esprit continuellement : la robinetterie à changer, la rentrée et les cours à préparer, l'anniversaire de mon frère, Gilles, qui venait à nouveau de se séparer et dont personne n'allait préparer la fête si je ne le faisais pas. Au nom de cet air de famille qu'il avait toujours peine à reconnaître, je m'appliquais à le couronner roi du jour chaque fois que j'en avais l'occasion, pour voir apparaître quoi ? un éclat de chaleur sur son beau visage d'enfant boudeur dont ma mère était folle, comme nous tous.

J'ai posé l'arbre dans le séjour sans en faire trop de cas, sans chercher l'endroit idéal. Dans les jours qui ont suivi, je suis devenue triste, mon teint a perdu de son éclat. Les amis, inquiets, me demandaient si j'étais souffrante, ce que je trouvais touchant. Mais comme j'avais des milliers de raisons d'être triste, et qu'il n'y a pas pire pour le teint que ce sentiment qui nous donne une si détestable idée de nous-mêmes, je ne me suis pas méfiée.

L'année avait été difficile (toujours ce manque trouble, lancinant comme un mal de dents), au point que j'avais dévoré quantité d'ouvrages de psychologie populaire et de motivation personnelle. Je n'en parlais jamais à mes amis, dont j'appréhendais le jugement sévère à ce sujet, mais je pensais de plus en plus à faire appel à un coach de vie – j'avais entendu à la télé le témoignage poignant d'une policière qui avait réussi à se sortir de son enfer personnel : ça pouvait marcher. J'avais encore à ce moment l'entrain et le désir de changer les choses, des rêves de bonheur paisible avec vacances à la mer, animal de compagnie et même, pourquoi pas, un amoureux gentil qui me préparerait des festins les jours de fête. J'étais plutôt jolie, et le suis encore, je crois. Un peu brouillonne sans doute, et souvent mal accoutrée, d'après certains esthètes de mon entourage. J'étais aussi d'humeur instable – le cœur changeant comme un ciel d'orage, me reprochait ma mère. C'est vrai qu'il m'arrivait de m'emporter subitement. Je pensais souvent : pauvre chat, la vie que je lui ferais ! Alors je n'en ai jamais pris, ni d'amoureux, du moins pas longtemps, pas chez moi.

L'automne s'était installé, et la tristesse restait là, enlaidissante comme un masque d'épouvante à deux sous. Une dépression, ai-je conclu. Dans le regard fuyant de mes amis, je ne voyais plus qu'une triste fille. J'étais devenue cette fille-là. Mes doutes sur la sûreté de l'amitié ont brusquement pris du poids. Même Gilles, ce faux frère, était parti refaire sa vie ailleurs, d'où il m'envoyait une carte de temps en temps – « Bonjour petite sœur, ici le temps passe tout droit, et les gens ne vieillissent pas, alors je reste encore un peu. Peux-tu faire suivre mon courrier… bla-bla, bla-bla.» Je me suis isolée, tentant de soigner mon petit univers, d'illuminer un peu ces quatre pièces devenues si sombres avec l'hiver, de me tisser un cocon pour les longs jours froids qui s'annonçaient.

La plante – que j'appelais toujours «l'arbre» même si son squelette disparaissait maintenant sous la verdure expansive – avait pris avec la saison morte un étonnant regain de vie. Je la regardais longuement, si belle dans mon regard si triste, et je n'avais que l'envie de me terrer sous les couvertures jusqu'au printemps – le feuillage chatoyant me servira de veilleuse chaque fois que j'ouvrirai les yeux, rêvais-je éveillée. Mes autres plantes, elles, dépérissaient. Je n'avais jamais eu le pouce vert ni beaucoup d'intérêt pour la chose. Cela m'était égal: l'arbre me suffisait. N'eût été cette dévorante admiration, je n'aurais été que tristesse et indifférence. Voilà désormais de quel bois j'étais faite.

Je m'absentais de plus en plus fréquemment de mon travail au collège, jusqu'à ce qu'on me mette en congé pour épuisement. Je me suis terrée à la maison.

Là, mon moral a dégringolé sous zéro, ce qui était normal, à en croire tous les ouvrages sur le sujet: les défenses lâchaient. Je pleurais souvent et abondamment, le cœur enfermé dans la conviction que ma vie ne compterait plus ni joies ni désirs. Je laissais aller le temps de plus en plus loin devant, sans envie de le rattraper, retranchée dans un hors-temps insipide et néfaste. L'arbre, lui, proliférait sur mon malheur, étendant sa magnificence jusqu'aux pots voisins, que j'avais négligé de jeter dans ma détresse, s'emparant des cadavres de violettes, de palmiers nains et de larmes de bébé comme il avait squatté celui du jasmin, le si joyeux et odorant jasmin, le parfum de ma mère, une goutte derrière chaque oreille, une au creux des poignets, secret partagé avec moi, petite fille amoureuse de son élégante beauté. Mon père avait pris une photo, et il me semble encore, en la regardant, humer un peu de son odeur. Pour la première fois, j'ai pensé à l'arbre avec horreur.

Je me suis mise à rôder autour de lui avec méfiance. Non seulement il ne sentait rien, mais cette absence d'odeur avait même fini par gommer toutes les autres à la manière d'un trou noir. L'arbre dévorait la vie, chacune de ses manifestations. Après les odeurs, est venu le tour des bruits du quotidien, ceux qu'on ne remarque pas jusqu'à ce qu'ils disparaissent. Le frigo avait-il rendu l'âme? Je le vérifiais deux fois par jour, inquiète. Il régnait chez moi un silence étouffé, et l'air était devenu aussi sec que si l'on avait installé une épaisse moquette sur tous les murs et jusqu'au plafond, sur chaque surface. Je me déshydratais lentement, malgré les quantités d'eau que je buvais. Au début, j'ai eu peur de mourir desséchée comme un vieux pruneau. Ensuite, cela m'est devenu égal, la peur avait rejoint le reste dans le trou noir.

Je dormais de plus en plus, m'éveillais toujours en sursaut, cherchant mon air, la conscience en désordre.

Puis un matin (était-ce bien le jour?), je me suis réveillée dans une obscurité totale, même le bâillement des rideaux ne laissait rien filtrer. J'ai cru que j'étais morte – peut-être l'étais-je, je ne sentais plus l'oppression dans ma poitrine. Je me sentais vide. J'ai tendu une main dans ma chambre opaque. Mes doigts ont rencontré la douceur du velours. J'ai refermé les yeux, écrasant dans ma paume les feuilles de l'arbre, venu jusqu'à moi. Je me suis obligée à me lever. J'avais besoin de *voir*. J'ai pris cela comme le signe que j'étais toujours vivante.

Sous mes pieds se déployait un tapis d'une douceur exquise, dont chaque fibre respirait la vie. Tout au cours de mon expédition de quelques mètres jusqu'à la porte de la chambre, j'ai versé en silence quelques malheureuses larmes sèches, que je tentais de retenir pour ne pas me perdre totalement. J'ai allumé le plafonnier. L'arbre était partout. Là et là, la plante avait rampé, grimpé le long des boiseries, camouflant le jour des rideaux, bloquant la lumière blanche et froide de février.

J'ai risqué un œil dans le couloir. Sur son passage, elle avait renversé la lampe, abîmé la porte. La bibliothèque était envahie, les livres – papier, cuir, carton –, grugés comme un champ de maïs sous un nuage de sauterelles. La porte d'entrée disparaissait derrière un inextricable tissage végétal. Je me suis approchée de la terrasse. Un mètre de neige en bloquait la porte. La vue de la rue balayée par un vent de poudrerie m'a un peu fouettée. J'ai pris ma corbeille de métal et, en me protégeant le visage avec une partie de mon bras, je l'ai jetée dans la vitre, qui a volé en éclats.

L'air froid s'est engouffré dans la maison. J'ai respiré un grand bol d'air qui m'a brûlé les poumons.

J'ai fait le tour des pièces pour éteindre les calorifères. J'ai mis mes bottes, mon Kanuk et mes mitaines. Je me suis couchée au milieu du courant d'air, me suis laissée engourdir doucement jusqu'à ce que le sommeil me prenne. Une larme s'est figée de froid sur ma joue engourdie. Mes cils se sont couverts de givre. Il faisait si terriblement froid.

Je ne sais pas combien de temps je suis restée ainsi, ni si ma vie a vraiment été en danger. Je me suis réveillée au milieu d'une grande agitation. Des silhouettes de géants se déplaçaient autour, commentant avec consternation ce qu'ils voyaient. Plus près, une voix s'est adressée à moi, arrivant à ma conscience embrouillée dans un souffle chaud sur mon visage. On m'a prise et on m'a emmenée dehors. J'ai pensé à l'arbre, me suis demandé s'il avait survécu. Je ne me sentais pas triste ; peut-être avait-il gelé.

Je dois ce sauvetage aux tuyaux, qui avaient éclaté à cause du froid. Avec le redoux, l'eau avait fait des dégâts chez mes voisins, forçant les pompiers à intervenir, puisque personne ne répondait chez moi.

Je n'y ai plus remis les pieds. J'ai engagé quelqu'un pour vider l'appartement de mes affaires et me suis envolée vers l'Espagne, où Gilles, même s'il ne m'attendait pas, m'a accueillie quelque temps. Je n'ai jamais voulu savoir ce qu'il restait de l'arbre après tout ça. On ne m'a rien dit non plus. À croire qu'il n'avait pas laissé de traces de son envahissante existence. Gilles, lui, n'a jamais prononcé un mot sur ce qui m'était arrivé, ni sur la trace de brûlure que le froid avait laissée sur ma joue. Peut-être que cela ne l'intéressait pas, trop occupé par son nouvel amour, qui allait bientôt porter ses fruits. Peut-être aussi ne l'avais-je jamais vraiment intéressé.

De retour au pays, j'ai postulé un travail dans le Grand Nord. On me l'a accordé. J'y suis très bien, malgré la solitude. J'ai pris un chat avec moi. Il ronronne à mes pieds les soirs d'hiver.

« La chambre andalouse » a été publiée dans la revue *Pyro*, numéro 21, décembre 2009, Paris.

« Lorsqu'une porte se ferme, ouvrez-en une autre » a été publiée sous le titre « La porte » dans *XYZ, La revue de la nouvelle*, numéro 93, printemps 2008, Montréal.

« Spectres » a été publiée dans la revue *Pyro*, numéro 9, décembre 2006, Paris.

Table des matières

Recyclé
Contribue à l'utilisation responsable
des ressources forestières
www.fsc.org   Cert no. SGS-COC-003153
© 1996 Forest Stewardship Council

Marquis imprimeur inc.

Québec, Canada
2009

L'impression de cet ouvrage sur papier recyclé a permis
de sauvegarder l'équivalent de 5 arbres de 15 à 20 cm
de diamètre et de 12 m de hauteur.